Una Chica acude a una Cita a Ciegas

Helena S. Paige

Una Chica acude a una Cita a Ciegas

Traducción de Laura Fernández Nogales

TITANIA

Argentina • Chile • Colombia • España
Estados Unidos • México • Perú • Uruguay • Venezuela

Título original: *A Girl Walks Into a Blind Date*
Editor original: Sphere, an imprint of Little, Brown Book Group, Londres
Traducción: Laura Fernández Nogales

1.ª edición Junio 2015

Todos los nombres, personajes y acontecimientos de esta novela, salvo los que forman parte del dominio público, son ficticios. Cualquier semejanza con personas vivas o fallecidas es mera coincidencia.

ISBN: 978-84-92916-91-7
E-ISBN: 978-84-9944-874-9
Depósito legal: B-10.124-2015

Fotocomposición: Ediciones Urano, S.A.U.
Impreso por Romanyà Valls, S.A. – Verdaguer, 1
08786 Capellades (Barcelona)

Impreso en España – *Printed in Spain*

SOMBRAS

Una chica acude una cita a ciegas

Cualquier mujer sabe que las citas por internet son una lotería: nunca sabes qué premio te va a tocar. El dios del sexo con el que finalmente has accedido a tomarte un café puede ser el estable e ingenioso hombre que él afirma ser, o muy probablemente, en realidad, un contable en paro con halitosis y tres ex mujeres.

Te sirves una copa de vino y te acomodas delante del portátil. Ya has navegado por las pantanosas aguas de *lovematch.com* en otras ocasiones y has cosechado resultados de todo tipo, pero hace un mes decidiste darle una última oportunidad. Después de eliminar a los tipos cuyas fotografías de perfil eran evidentes robos de portales sobre culturismo y a cualquiera que se autodenominara «el mejor amante del mundo», has reducido tu selección a tres candidatos. Ya llevas un par de semanas chateando amistosamente con ellos y de momento todo va bien.

El primero es «LuciernagaNYC», que dice ser un bombero de Nueva York, cosa que le da dos enormes positivos. Sus fotografías de perfil son impresionantes, aunque no consigues verle bien la cara. En todas se distingue a un hombre alto y fuerte con casco y uniforme en plenas proezas épicas. Ya te ha hecho reír unas cuantas veces y parece gustarle mucho su trabajo. La parte negativa es que hace muchas faltas de ortografía, cosa que para ti suele ser un factor de eliminación automática. Además, sus películas preferidas son *Algo para Recordar* y *Taxi Driver*, cosa que significa que o bien es un romántico empedernido o un psicópata. Hmmmm.

Luego está «Conde Canaletto36», que afirma descender de una larga extirpe de aristócratas venecianos y es natural de la «ciudad más bonita del mundo». Según sus fotografías es un hombre bronceado de perfil aguileño y espeso pelo negro. En una de ellas está apoyado en el balcón de lo que parece un palacete veneciano, y en la otra se le ve luciendo gafas de sol y ropa de esquí ante un paisaje alpino y nevado de fondo. Sus mensajes están tan bien escritos que suenan poéticos. Entre sus intereses está la ópera, la literatura y los deportes de riesgo, y en su ocupación ha puesto que es empresario. Durante una conversación personal que mantuvisteis te confesó que su verdadero nombre es Conde Claudio Lazzari, y le agradeciste mucho la confianza que te demostró con ese gesto. Como seguía sonando demasiado bueno para ser verdad, y tú no eres tonta, investigaste un poco y con mucha discreción, y por lo visto sí que es quien dice ser.

Y, por último, y no por ello menos importante, está el «PequeñoChicoHolandés», un escultor de Ámsterdam. Es aventurero, excéntrico y la palabra bohemio parece haber sido inventada para describirlo. Tampoco está nada mal que en sus fotografías se pueda ver a un chico guapo de ondulado pelo largo con un pecho musculoso. Y, sin embargo, no le vendría mal mejorar un poco su inglés porque, a veces, cuando estás chateando con él, tienes la sensación de mantener una relación con el traductor automático de Google.

Entras en la web esperando encontrar a alguien con quien pasar el rato y te alegras mucho de comprobar que te han escrito los tres. Quizá esta sea una buena noche para llevar las cosas al siguiente nivel. ¿Con quién quieres chatear primero?

 Si te apetece entablar una conversación ardiente con el bombero, ve a la página 4

 Si tienes ganas de pasar un rato con el escultor sexy, ve a la página 8

 Para una charla romántica con el aristócrata italiano, ve a la página 12

Has decidido intercambiar unas cuantas marranadas con el bombero

Te sientes un poco traviesa y le preguntas a Luciérnaga si le apetece subir un poco el tono. Como era de esperar, él se muestra perfectamente dispuesto.

<Es la primera vez que hago esto>, tecleas.
<Yo tanbién>

Estas faltas de ortografía podrían acabar enfriando el tema. Tendrás que intentar ignorarlas.

<Entonces, ¿por dónde empezamos?>
<Podrías decirme lo q llevas puesto>

En realidad llevas tu pijama de franela preferido, uno con dibujitos de South Park que está lleno de milenarias manchas de café. No es la prenda más sexy del mundo. Ha llegado la hora de mentir.

<Un salto de cama transparente estilo años
cincuenta de color negro y mi tanga violeta preferido.
¡Ah! Y tacones>
<Vaya. El violeta es mi color preferido>
<El mío también>

¿El mío también? Eso es patético. Venga, seguro que puedes hacerlo mejor. Reflexionas un momento y entonces tecleas:

<Aquí empieza a hacer calor. ¿Ahí también?>
<Mucho>
<¿Y cómo puedo refrescarme? ¿Me podrías prestar
alguna manguera?>
<Claro que sí, nena. Puedes cojerla siempre q
quieras>
<¿Y es grande?>
<Es enorme. Y si te portas bien te la dejaré tocar>

Los chistes de bomberos son demasiado predecibles. La verdad es que la conversación no te está excitando, pero es divertido.

<Siempre he querido acariciar la manguera de un
bombero. ¿Cómo es?>
<Está dura, nena. Muy dura. Tan dura como la barra
metálico de la estación>
Te ríes.
<Mmmm. Me estoy empezando a poner muy
caliente>
<Es posible que necesites quitarte algo>
<Es posible. Oh, mira, me estoy bajando los tirantes
del salto de cama...>
<Eso es, nena. Hazlo muy despacio>

<Se ha caído al suelo. Ahora sólo llevo el tanga y los tacones. ¿Qué quieres que haga ahora?>
<Tócate las pecas>

No puedes evitarlo y te deshaces en carcajadas.

<¿Las PECAS?>
<Lo siento. Me he emocionado demasiado!!!>
<No pasa nada>
<LOL>

¿LOL? Madre mía… Entonces escribes:

<Yo también ☺>
<Espera. Brb>

Se vuelve a conectar en treinta segundos.

<Me tengo que ir. ¿Seguimos otro día?>
<Claro. Y ten cuidado ahí fuera>
<Tú tb XXXX>

Ha sido más divertido que erótico, y aunque esperas que se exprese mejor en persona que por escrito, por lo menos tiene sentido del humor. Además, ya te estás acostumbrando a sus faltas de ortografía. ¿Qué quieres hacer ahora?

Para chatear con el escultor, ve a la página 8

 Para conversar con el Conde, ve a la página 12

 Para dejarlo por esta noche, ve a la página 18

Decides chatear con el escultor

Flirtear por internet será un poco más complicado teniendo que utilizar el traductor de Google, pero te dices a ti misma que en esta vida hay que probarlo todo por lo menos una vez.

<¿Cómo está Ámsterdam esta noche?>, tecleas.
<Ámsterdam es una ciudad preciosa>
<He oído decir que también es una ciudad muy sexy>
<Sería más sexy si estuvieras aquí>

Al leer su último comentario piensas que esto ya es otra cosa, y te empiezas a sonrojar.

<¿Cómo lo sabes? Ni siquiera me conoces>
<Suenas sexy>
<Tampoco has escuchado mi voz>
<Yo soy artista. No necesito escuchar tu voz para saber que eres sexy. Tengo mucha imaginación>
<¿Ah sí? ¿Y me imaginas a menudo?>
<A decir verdad, sí. Ayer por la noche, sin ir más lejos, imaginé que estabas aquí>

Tecleas una respuesta, te da vergüenza, la borras, la vuelves a escribir, y luego presionas enviar antes de que se te ocurra volver a cambiar de opinión:

<¿Y qué imaginabas?>

<Pues imaginé que estabas aquí y nos besábamos>

<¿Ah sí? ¿Y besaba bien?>

<Mucho. Casi tanto como yo>

Te ríes. No hay nada más sexy que un hombre con sentido del humor. Es divertido incluso a pesar del extraño mundo del traductor de Google.

<En ese caso quizá podrías darme clases>

Mmmm. Él podría enseñarte a besar y tú le podrías enseñar inglés.

<Me encantaría>

<Creo que a mí me gustaría más>

<Y en mi imaginación, cuando acabábamos de besarnos, te deslizaba la mano por debajo de las bragas y te masturbaba hasta que te corrías>

Tragas saliva. Esto se está poniendo serio. Una oleada de calor te recorre todo el cuerpo y te contoneas un poco dejando resbalar la mano por tu cuerpo.

<tenes ucha imaginación>

<¿Te estás tocando?>

<Porque yo soy el que no sabe hablar bien el inglés,
y tengo la sensación de que estás tecleando con una
sola mano>.

Te ha pillado. Vuelves a colocar ambas manos sobre el tecla-
do mientras piensas en cómo vas a contestarle. Te has sonrojado;
en parte se debe a la vergüenza y en parte a la excitación. ¿Qué
le vas a responder? No quieres decirle la verdad; no te apetece
reconocer que sólo le han bastado unas pocas palabras para conseguir que te metieras la mano dentro de las bragas. Por suerte,
él advierte la larga pausa y sale al rescate cambiando de tema.

<Quizá deberías venir a Ámsterdam y así no
tendríamos que recurrir a ninguna fantasía>
<Quizá...> tecleas. Y entonces añades:
<Quizá...>

Tu portátil emite un pitido al recibir una petición de *chat*
de otra persona.

<Puede que no debas venir, pero definitivamente>
<Definitivamente es un quizá>

Dejarás que deduzca él solito lo que quieres decir.

<Gracias por la charla, chico sexy. Hasta pronto.
Xxx>

Te desconectas rápido para no volver a engancharte a su conversación y compruebas tu buzón de entrada: tienes un mensaje nuevo del Conde y otro de Luciérnaga. ¿Quieres contestar o ya has tenido bastante cháchara por una noche?

 Para chatear con el bombero, ve a la página 4

 Para conversar con el Conde, ve a la página 12

 Para dejarlo por esta noche, ve a la página 18

Has decidido chatear con el Conde

<Ciao bella!> Ese es el saludo habitual del Conde. Le comentas que te alegras de saber de él mientras te preguntas si será demasiado cursi enviarle uno de esos emoticonos con un beso volador que dan a entender que te sientes coqueta.

Y entonces, como si tus pensamientos pudieran viajar por el ciberespacio, él teclea:

<Esta noche quiero preguntarte una cosa>

Oooh. Esto suena bien.

<¡Lo que quieras!>, contestas.
<¿Me permites que te imagine desnuda?>

Tragas un poco de saliva. Pero tienes que admitir que te gusta la idea. Además, ¿qué daño puede hacer?

<Claro, adelante. Pero te advierto que yo también puedo imaginar cosas>
<Veo tus preciosos pechos. Estoy seguro de que tu piel es tan suave y tersa como la nata. Ahora mismo me estoy imaginando una buena ración de fresas con nata. Cerezas. ¡Espera, uvas! Esponjosas, firmes y maduras. Noto su textura en la lengua...>

Tus pezones han reaccionado a sus palabras. Te deslizas una mano por debajo de la camiseta y abres una de sus fotografías para regodearte en su sensual boca, la recia curva de su labio superior, y el brillo de sus dientes blancos. Imaginas esa boca deslizándose por la piel de tu torso, besándote los pechos y apropiándose de tus pezones. Se te acelera la respiración y dejas resbalar la mano para jugar con uno de tus pechos y pellizcarte el pezón.

<¿Va todo bien? Espero no haberte ofendido>
<¿Quieres que pare?>
<¡No!>
<Vale. Entonces, ¿te gusta?>
<Mmmm. Sí>

Te mueres por saber adónde os llevará todo esto. Estás un poco nerviosa. Has oído hablar muchas veces sobre cibersexo, pero nunca lo habías practicado. De momento estás muy intrigada y bastante excitada.

<Necesito degustar un poco más de tu nata>
<Adelante>
<La lamo como un gatito. Oh, qué bien sabes. Eres dulce y sexy>
<Gracias, tú también eres bastante sexy>
<¿De verdad estás disfrutando de esto? Yo me lo estoy pasando muy bien. ¿Y sabes qué me gusta todavía más?>

<¿Qué?>

<Los higos>

<???>

<Es mi fruta preferida. Estoy pensando en lo mucho
que me gustaría deslizar el pulgar por su tersa piel,
pelarla y abrir la fruta...>

La insinuación genera una oleada de calor que te recorre
de pies a cabeza, y la excitación se adueña de tu sexo. Te apresuras a contestar <guau> con una sola mano mientras apartas
un poco el portátil para bajarte las bragas de algodón. Echas
otra ojeada a su foto de perfil y esta vez te imaginas esa boca
resbalando hacia el sur de tu cuerpo. Dejas escapar un pequeño gemido al pensar en esos firmes labios concentrados en tus
zonas tropicales, y acomodas los cojines que tienes a la espalda mientras separas las rodillas. Entretanto, Claudio sigue tecleando:

<para dejar al descubierto la suave carne rosada, el
néctar...>

Y ya no puedes seguir resistiéndote, tus dedos se descuelgan por entre tus muslos y flexionas el dedo anular para separar
los labios de tu sexo, que están hinchados y húmedos. Y una
vez entre ellos te das cuenta de que estás tan jugosa como imagina Claudio.

Se te escapa un quejido descarado mientras te acaricias el coño. Deslizas el dedo hacia arriba y lo paseas por toda la abertura hasta llegar al clítoris sin dejar de mirar la pantalla esperando, con avidez, el suave «ping» que da paso a cada nueva frase del chat.

<higos con nata, la combinación perfecta>
<sssssi>, tecleas con poco acierto.

Por suerte, Claudio (que ya te has dado cuenta que ha dejado de utilizar las mayúsculas) es demasiado caballero como para decir nada.

<los que más me gustan son los higos oscuros con
ese sabor almizclado>

Y pocos segundos después, añade:

<siempre están bien maduros>

Ya no tienes fuerzas para seguir tecleando. Te masajeas el clítoris sintiendo la urgencia que se acumula en el interior de tu coño empapado y el dolor que anida en lo más hondo de tu pelvis exigiendo la liberación.

<chupo su delicada piel interior>

<una y otra vez>

Cuando sus palabras aparecen en la pantalla, cruzas el límite y te corres arqueándote contra los cojines. Tu portátil resbala por el edredón, pero estás disfrutando demasiado como para preocuparte por eso. El placer se adueña de todo tu cuerpo y, durante unos largos segundos, tienes la sensación de que Claudio está ahí contigo y te acaba de proporcionar un orgasmo maravillosamente satisfactorio.

Te das cuenta de que eso es exactamente lo que ha ocurrido —en cierto modo—, y vuelves en busca de tu portátil. Por suerte, no lo has apagado sin darte cuenta ni has salido del programa por error, y ves que tienes varios mensajes en espera:

<pero quizá con esto hayas tenido suficiente>

<¿bella?>

<espero que no te hayas ido muy lejos>

<no, no>, te apresuras a contestar. <ha sido fantástico>

<Espero haberte complacido. Yo lo he disfrutado mucho>

Te sonrojas. Y luego estiras los dedos entrelazándolos hasta que te crujen los nudillos.

<Mmmm. Digamos que dormiré muy bien está noche>

<En ese caso, espero que me permitas darte un beso de buenas noches y desearte dulces sueños. En los que espero aparecer. Xxx>

Sonríes y le contestas <xxx>. Siempre pensaste que el cibersexo debía ser un poco impersonal, incluso de mal gusto, pero ha sido increíblemente romántico. Y muy, muy excitante. Era justo lo que necesitabas. Te levantas y vas a darte un baño con una sonrisa en la cara.

 *Ve a la página 18*

Has decidido dejarlo por esta noche

Bueno, ha sido interesante. Te das un buen baño, te preparas un chocolate caliente y cuando estás a punto de irte a la cama tu portátil vuelve a pitar. Tienes tres mensajes esperándote de *lovematch.com*.

El primero es del escultor:

<Quizá va siendo hora de que nos conozcamos>

El segundo es del Conde:

<Bella, me muero por ver tu preciosa cara en persona>

Y el tercero es de LuciernagaNYC:

<Ei. ¿Quieres que nos conozcamos?>

Vaya. ¿Cómo es posible que se les haya ocurrido lo mismo a los tres a la vez? ¿Qué deberías hacer? Aún te quedan días de vacaciones por disfrutar en el trabajo y no te costaría mucho tomarte unos días libres. Pero ¿de verdad quieres coger un avión para conocer a un completo desconocido en una ciudad extranjera?

Lo piensas un poco. En el peor de los casos, si fueras a Nueva York y las cosas no salieran bien con Luciérnaga, siempre podrías irte de compras, visitar un poco la ciudad y disfrutar del ambiente. ¿Y a quién no le gustaría conocer Venecia? Hasta los venecianos se quedan a disfrutar de su ciudad cuando tienen vacaciones. Y no puedes olvidarte de Ámsterdam: todo lo que has oído decir de esa ciudad te hace pensar que podrías pasártelo de miedo y sin bajarte de la bicicleta, si te apetece.

Habrá que tomar una decisión.

 Si te apetece ir a Holanda a visitar a tu escultor, ve a la página 20

 Si decides contar con el Conde, ve a la página 98

 Si te decantas por aceptar la oferta de Luciérnaga, ve a la página 214

Has decidido ir a Ámsterdam a ver al escultor

Tecleas:

<¡De acuerdo! ¡He decidido venir a Ámsterdam!>

El mensaje del PequeñoChicoHolandés aparece en la pantalla casi un segundo después de que hayas enviado el tuyo.

<¡Estupendo! ¿Cuándo vienes?>

Piensas que quieres ir lo más pronto posible, pero prefieres no escribir eso. Buscas información sobre los vuelos. Hay uno a un precio razonable que sale dentro de un par de días. Le haces llegar los detalles.

<¡Mándote mi dirección ahora y también mi nombre que es Sven!>, contesta. <Hasta que nos vemos pronto!! XXX>

Sonríes. Por lo menos la letra X no necesita traducción.

Abres una página nueva para buscar «hoteles acogedores en Ámsterdam», pero mientras vas bajando por los resultados pinchas, por error, uno de los anuncios que parpadean en el margen de la página. Se abre una ventana y ante tus ojos se despliega el género de *Kink's Online Boudoir*. Sientes curiosidad y navegas un poco por la página. No eres completamente ajena a la juguetería sexual. Una vez alguien te regaló un vibrador para tu cumpleaños y desde entonces ha sido un buen amigo circunstancial en tu vida. Pero en realidad nunca has estado en un *sexshop* ni has comprado nada más atrevido que un poco de lubricante o algunos preservativos.

Mientras navegas ves tres artículos que te llaman la atención. El primero es un disfraz de látex de enfermera. El corsé es muy ajustado y se abrocha a la espalda con un lazo de seda rojo, y la falda es tan corta que sería imposible sentarse con recato llevándola. También incluye unas medias de rejilla blancas y unos tacones de charol rojos. Al verlos no puedes evitar pensar en hacer chocar los talones y decir: «No hay nada como el hogar». El disfraz lo completan una cofia con la clásica cruz roja en la frente y unas bragas minúsculas con una abertura de fácil acceso en la zona inferior.

Pues si las cosas con el PequeñoChicoHolandés se pusieran incómodas, siempre podrías darle la vuelta a la situación con este modelito.

El siguiente artículo que te llama la atención está etiquetado como «Kit de *Bondage* para Principiantes». Tú nunca has probado el *Bondage*, pero tampoco se te había ocurrido nunca comprar un billete de avión para acudir a una cita a ciegas. Parece que esto se está convirtiendo en el día de probar cosas nuevas. El kit contiene un par de esposas que parecen reales, un látigo de piel negra con varias tiras de nudos, una fusta, y una máscara de piel bastante ridícula con una cremallera por boca. Es posible que Sven no hable un inglés perfecto y que tú no sepas ni una sola palabra de holandés, pero supones que ninguno de los dos tendrá problemas en comprender el lenguaje universal de los azotes.

Bajas un poco más y te inclinas para estudiar con atención un artefacto violeta. Es un aparato en forma de bala con un pequeño control remoto inalámbrico; parece el mando a distancia para abrir la puerta del garaje. Según la propaganda es un Huevo del Amor con Control Remoto. Tienes que introducirte la bala vibradora en el coño y, quienquiera que tenga el mando a distancia, elige el nivel, la intensidad y la duración de las vibraciones. Imagina cuántas posibilidades.

Está claro que deberías comprarte algo picante para llevarte de viaje. No tienes por qué utilizarlo si no quieres, pero sería divertido. La única pregunta es: ¿qué artículo eliges?

Si eliges el disfraz de enfermera traviesa,
ve a la página 23

Si escoges el Kit de **Bondage** *para Principiantes,*
ve a la pagina 27

Si te decantas por la bala accionada por control remoto,
ve a la pagina 52

Has elegido el disfraz de enfermera traviesa

La flecha del ratón flota por encima del icono para añadir las compras al carrito. Inspiras hondo y haces clic. Entonces se abre la página de detalles que te permite elegir dónde quieres que te lo envíen. Estás a punto de rellenar los datos con la dirección de tu casa, pero se te ocurre una idea mejor. Podrían mandárselo directamente a Sven junto con una nota sugerente que escribirías con ayuda del traductor de Google. Haces unos cálculos. En la web pone que tardan veinticuatro horas en entregarlo, por lo que el paquete debería llegar a su casa mañana. El regalito dejaría muy claras tus intenciones. Es un vestido muy mono, ¿a qué hombre con sangre en las venas no le encantaría?

Rebuscas el trozo de papel en el que anotaste su dirección, la tecleas, añades los dígitos de tu tarjeta de crédito, y aceptas los términos y condiciones. Luego escribes una pequeña nota:

Querido Sven:
Tengo muchas ganas de conocerte en carne y hueso.
Ya sé que esto es un poco atrevido, pero he pensado
que este disfraz nos podría ayudar a romper el hielo.
Espero que te guste.
Hasta pronto.
X.

Y con la ayuda del traductor de Google se convierte en lo siguiente:

Geachte Sven,

Ik kijk er naar uit u te ontmoeten in het vlees. Ik weet dat dit een beetje kinky, maar ik dacht dat dit outfit zou een geweldige manier om het ijs te brekenzijn. Ik hoop dat je het leuk?

Tot snel weerziens.

X

Copias el texto, lo pegas en el recuadro en blanco y presionas enviar. Esta será una cita a ciegas que ninguno de los dos olvidará. Luego sacas la maleta. Ese es el primer conjunto que has elegido para las vacaciones y, aunque no tienes intención de llevar mucha ropa mientras estés en Ámsterdam, probablemente deberías llevarte algunas cosas más por si acaso.

* * *

La mañana siguiente, justo cuando estás buscando el pasaporte, escuchas el pitido del nuevo mensaje que acaba de llegar a tu buzón. Apenas te has despegado del portátil esperando que llegase la respuesta a tu nota y no has dejado de sonreír imaginando la cara que pondría Sven cuando recibiera el paquete.

¡Sí, es él! Sientes un hormigueo en el sexo y esperas un poco antes de abrir el mensaje para alargar la emoción. ¿Cómo puedes estar tan nerviosa por pensar en alguien a quien no conoces? Debe de ser porque no dejas de imaginar todo lo que te va a hacer con sus manos de escultor. Cuando ya no puedes resistirlo más, abres el mensaje. Te sorprende ver que está en holandés porque siempre suele traducir sus mensajes antes de enviarlos. Lo copias y lo pegas rápidamente en el traductor de Google.

Tu paquete ha llegado hoy.
El contenido me ha sorprendido mucho.
Me parece que es importante decirte que no soy
como tú.
Quizá sea mejor que vengas a Ámsterdam en otro
momento.
Ahora tengo un trabajo nuevo y estoy muy ocupado,
por lo que no es buena idea que vengas.
He devuelto tu traje de sumiso a la dirección del
remitente.
Espero que encuentres lo que buscas.
Sven.

Te pones roja como un tomate. ¿Un traje de sumiso? ¿De qué está hablando? La tienda ha debido equivocarse con el envío, y con los problemas que tenéis para comunicaros con los distintos idiomas no sabes cómo explicarle la confusión. Y lo cierto es que aunque pudieras hacerlo, después no te atreverías a mirarlo a la cara. Qué desastre.

Tu portátil emite otro pitido. Te estremeces con la esperanza de que no sea Sven y miras la pantalla por entre los dedos de las manos. Por suerte es un mensaje de Luciérnaga, que sólo te escribe para saludar.

Mmmm. Quizá no tengas por qué cancelar tu viaje. Sencillamente podrías elegir otro destino: ¿a quién no le encantaría pasar un buen rato con un bombero de Nueva York? Por no hablar de lo atractiva que te resulta la idea de conocer a tu casanova aristocrático italiano; siempre has querido ir a Venecia. Y ya sabes lo que dicen: cuando se cierra una puerta…

 Para ir a Venecia a visitar al Conde, ve a la página 98

 Para ir a Nueva York a conocer al bombero, ve a la página 214

Has elegido el Kit de Bondage para Principiantes

Avanzas en la cola con el billete y el pasaporte en la mano. ¡No te puedes creer que estés haciendo esto! ¿A quién se le ocurre subirse a un avión para ir a una cita a ciegas? Está claro que a ti. Se te acelera el corazón cuando piensas en todo lo que puede pasar los próximos días. Cuando llegues y encuentres el hotel, lo primero que quieres hacer es decirle a Sven que has llegado bien. Luego tal vez podríais comer juntos y después… quién sabe.

Te agarras con fuerza a tu equipaje de mano. Aparte de los clásicos artículos de viaje, llevas un libro nuevo, ropa interior y tu kit de *bondage* para principiantes. Ibas a enterrarlo en el fondo de la maleta, pero ¿qué pasaría si te perdían el equipaje y alguien la abría para identificar al propietario? Te daría demasiada vergüenza reclamarla. Por eso has decidido llevarlo encima.

Estás tan distraída con tus cavilaciones que pasas por el detector de metales sin dejar la bolsa en la cinta transportadora. Se oye un fuerte pitido y te indican con aspereza que pases por el otro lado.

—Zapatos —te ladra un antipático guardia de seguridad.

Te los quitas y los dejas en la bandeja junto a la bolsa.

—El cinturón.

También te lo quitas y vuelves a pasar por el detector. Entonces suena una sirena, se enciende una luz y llama la atención de más guardias de seguridad. Haces un rápido repaso de todo tu cuerpo. ¿Qué habrá sido lo que ha accionado la alarma del detector esta vez? ¿Será el collar o los aros del sujetador?

Pero no eres tú, es tu bolsa. Oh, oh. Se te hace un nudo en la garganta. Una agente de seguridad te cachea mientras otros dos guardias rebuscan en el interior de tu bolsa. Uno de ellos saca las esposas, parpadea y te fulmina con la mirada. El otro está mirando el látigo de puntas y, oh, Dios mío, también ha visto la máscara con cremallera. De repente caes en la cuenta de que los pasajeros que están en las otras colas te están mirando con una mezcla de sorpresa y regocijo. Por lo visto te acabas de ganar un papel protagonista en cientos de futuras anécdotas sobre viajes y un par de *posts* en Instagram y Facebook.

* * *

En la sala de interrogatorios del aeropuerto sólo hay una mesa metálica, dos sillas y una cámara sujeta por un trípode en una esquina. Mientras te revuelves incómoda en la silla te das cuenta de que en la cámara parpadea una luz roja. Te pasan millones de ideas por la cabeza. ¿Cómo vas a explicar esto exactamente? ¿Te van a detener? ¿Y conseguirás coger tu vuelo?

Tras lo que parece una eternidad, se abre la puerta y entra un hombre. En seguida percibes un sutil cambio de energía en el ambiente. No estás segura de lo que esperabas, pero definitivamente no tiene nada que ver con ese tipo. Este hombre es alto, tiene las espaldas anchas, y el pelo oscuro. Lleva un par de vaqueros muy ajustados, una camisa a cuadros y botas negras. Tiene más pinta de estrella de culebrón con algún nombre como Ridge, Twig o Storm que de policía de aeropuerto.

—Siento haberla hecho esperar —dice abriendo tu pasaporte y comparándote con la fotografía que encuentra entre sus páginas. Esbozas una mueca para darle a entender que la que está viendo no es tu mejor instantánea. Parece una foto de presidiaria, cosa que no te va ayudar nada en la situación en la que te encuentras.

Te mira un segundo a los ojos y, quizá sea cosa tuya, pero ¿puede ser que hayas percibido algo de química entre vosotros? Tiene las facciones marcadas, los dientes muy blancos, y sus largas pestañas negras acentúan el azul de sus ojos. Le miras las manos. Las tiene más grandes que la mayoría y no hay ni rastro de anillo de bodas. Miras de reojo sus botas Timberland, que también son más grandes de lo normal.

—¿Los guardias de seguridad no deberíais ir uniformados? —le espetas.

Él te observa un momento.

—Este es mi uniforme —dice—. Normalmente trabajo de incógnito. Sólo me llaman para que me ocupe de los casos más… insólitos.

—Ah.

—Vamos a ver qué tenemos aquí —comenta dejando tu bolsa sobre la mesa.

El rubor trepa por tu cuello y tus mejillas.

—Ha sido un terrible malentendido... —tartamudeas—. Yo no... Esto no es...

Abre la cremallera de la bolsa y lo primero que saca es un tanga de encaje negro. Lo dobla con profesionalidad sin establecer contacto visual contigo y lo vuelve a meter en la bolsa. Luego va sacando muy despacio cada uno de los objetos censurables y los va dejando sobre la mesa anotándolos en su bloc de notas uno a uno.

—Esposas. Un látigo grande. Un látigo pequeño...

Tú vas resbalando por el asiento todo lo que puedes mientras rezas todo lo que sabes para que se abra el suelo y se te trague allí mismo.

—¿...y quizá me podrías aclarar lo que es esto? —te pide con la máscara en la mano.

—En esta época del año hace muchísimo frío en Ámsterdam —le dices.

Se sienta delante de ti muy serio.

—Supongo que comprenderás la mala pinta que tiene todo esto, ¿no?

Asientes incapaz de encontrar tu voz.

—Nosotros nos tomamos muy en serio los asuntos de seguridad internacional...

—¡No soy ninguna terrorista! —gritas muerta de miedo mientras se proyectan en tu mente imágenes de cómo sería tu vida en una celda de la cárcel de Guantánamo.

No hay duda de que ves demasiada televisión.

—No pasa nada —dice con un tono de voz más amable—. No pensábamos que lo fueras.

En sus labios se dibuja una pequeña sonrisa. Este hombre debería hacer de guardia de seguridad en televisión en lugar de dedicarse a ello en la vida real. Es demasiado guapo para esto.

—¿Ah, no? —respondes aliviada.

—Sólo nos queríamos asegurar. Seguro que lo comprendes. Bueno, ya te hemos investigado y puedes irte cuando quieras.

—¡Oh, gracias a Dios! —exclamas.

Te sonríe otra vez y te devuelve la bolsa para que puedas volver a guardarlo todo. Coges el látigo más largo y lo pones a cubierto cuanto antes.

—Nunca había hecho nada parecido, ¿sabes? —balbuceas.

—Eso es lo que dicen todos —dice levantándose para apagar la cámara.

—Yo no lo he hecho, te lo juro. Que me muera aquí mismo si estoy mintiendo.

—Pues en ese caso me dejas un poco preocupado.

—¿Ah sí?

—Sí. Este material puede resultar bastante peligroso si no sabes lo que estás haciendo. —Se cuelga las esposas de un dedo—. No me gustaría que te hicieras daño ni se lo hicieras a otras personas. —Le brillan los ojos—. Si quieres te puedo enseñar cómo funcionan algunas de estas cosas.

—¿Lo dices en serio?

Lo miras fijamente. ¿De verdad está diciendo lo que parece?

—Claro. Es mi deber. Tengo mucha experiencia con estos artilugios.

—¿Sí?

—Recuerda que soy guardia de seguridad.

—Te miras el reloj; si te das prisa aún podrás coger el vuelo. Por no mencionar que Sven te está esperando al otro lado de tu recorrido. Pero también tienes la cita a ciegas perfecta delante de las narices: un tipo con una mirada que implora sexo y dispuesto a enseñarte un par de cosas. ¿Para qué te vas a subir a un avión para ir en busca de algo que ya tienes delante?

 Si decides quedarte con el guardia de seguridad, ve a la página 33

 Si prefieres salir corriendo para coger el vuelo, ve a la página 40

Has decidido quedarte con el guardia de seguridad

—Las esposas son bastante fáciles de manejar —dice sosteniéndolas en alto—. Este es un modelo convencional. El secreto es asegurarse de no perder nunca la llave. Podría ser un poco incómodo.

Te preguntas si estará bromeando para rebajar la excitación. Lo entiendes perfectamente: el corazón te va a mil por hora y te apoyas en la mesa que tienes delante. Si vas a perder el vuelo por este tío quieres sacarle el máximo partido.

—Tienes que cerrarlas así —te explica encajando uno de los extremos dentro del otro—. ¿Lo ves? Es muy fácil.

Luego las vuelve a abrir para enseñarte cómo funciona.

—No sé si lo he entendido bien. Quizá si me demuestras cómo funcionan poniéndomelas a mí me quede un poco más claro y me haga una idea más exacta —dices ofreciéndole las manos con una mirada de inocencia en los ojos.

Escuchas como se le entrecorta la respiración.

—¿Aquí? ¿Ahora?

—Bueno, tú mismo lo has dicho, podría acabar haciéndole daño a alguien si no sé cómo manejar bien todo esto. Pero si tienes que irte a algún sitio…

—Creo que esto es prioritario. Aquí nos tomamos muy en serio la seguridad —dice acercándose a la puerta para cerrarla con llave.

Luego se acerca a ti y te rodea las muñecas con los dedos hasta tocarse las yemas del pulgar y el dedo índice entre ellas.

—Tienes que rodear la muñeca con la esposa de esta forma y meter el extremo en la rendija.

—Creo que sigo sin entenderlo —dices, y como ahora está más cerca de ti le hablas en voz baja—. Quizá sea mejor que me lo vuelvas a enseñar.

—Levántate —dice con un tono de voz grave y estricto.

Te separas muy despacio de la mesa para ponerte en pie, cosa que te acerca mucho a él.

—Primero tengo que cachearte para asegurarme de que no llevas ningún objeto peligroso.

Decides no moverte porque no estás segura de lo que espera que hagas.

Te agarra del brazo y te lleva hacia la pared, y entonces lo comprendes, ya conoces la rutina, has visto muchas películas policíacas por televisión. Te pones contra la pared y apoyas las palmas de las manos abiertas en ella. No puedes resistir la tentación de mirarlo por encima del hombro y sonreír, y entonces él ruge:

—¡Sepáralas!

Pero lo hace también con una sonrisa en la cara.

Utiliza una pierna para separar las tuyas con delicadeza y luego te golpea el zapato. Las separas un poco más y se te acelera la respiración.

Empieza a cachearte empezando por los brazos y sientes la calidez de su aliento en el cuello mientras deja resbalar las manos por tus hombros y a lo largo de tus brazos. Se te pone la piel de gallina cuando pasa sus seguros dedos por tu piel desnuda.

Vuelve de nuevo a tu cuello, pero esta vez para deslizarte las manos por delante y pasar con suavidad sobre tu clavícula y llegar hasta tus pechos. En cuanto sientes el contacto de su caricia se te endurecen los pezones. Luego te desliza las manos por los costados y por la cintura de la falda metiendo los dedos por dentro del elástico hasta acariciar el encaje de tus braguitas.

Entonces, y demasiado pronto para tu gusto, abandona la parte frontal de tu cuerpo y se agacha detrás de ti para dejar resbalar las manos por una de tus piernas, volver a subir, y luego repetir la maniobra con la otra pierna y rozar la tela que se esconde entre tus muslos. Cuando te desliza las manos hasta los tobillos tienes que cerrar los ojos y concentrarte para no suplicarle que vuelva a acariciarte entre las piernas.

Entonces se pone de pie y, sin decir una sola palabra, te da media vuelta. Deja resbalar las manos por los brazos y te coge de las muñecas para inmovilizarte contra la pared.

—Tienes una piel alucinante —te ruge al oído.

Te mueres por inclinarte y besarle. Y entonces piensas: «Este hombre es un completo desconocido, debería estar subiéndome a un avión con destino a Ámsterdam en este preciso momento». Inspiras hondo y percibes su fragancia, es muy masculina. Te agarra ambas muñecas con una mano por encima de la cabeza y te desliza el pulgar por la mandíbula.

Y entonces te besa. Al mismo tiempo deja resbalar la mano por tu espalda hasta agarrarte del culo y te pega a él para que sientas su polla: dura e insistente. Luego da un paso atrás.

—Has sido una chica mala, ¿verdad? —te pregunta.

—Me temo que sí —dices con docilidad tendiéndole un brazo. Él te rodea una muñeca con la esposa y sientes el frío metal contra la piel. Se oye un clic metálico.

—Ahora lo entiendo —dices—. Entonces se ponen así. —Y antes de que pueda reaccionar coges la otra esposa y se la pones a él—. Ups, murmuras. —¿Dónde he dejado la llave?

Se le encienden los ojos. Quizá sea a causa de la alarma, pero tú esperas que sea lujuria.

—Así que estamos encadenados —dice reculando hacia la mesa contigo. Te apoyas en el borde mirándole; estás ansiosa por saber qué hará a continuación.

Sin dejar de mirarte a los ojos, desliza el dedo de la mano que tiene libre por tu mejilla y sigue bajando por tu cuello hasta llegar a la abertura de tu blusa. Cuando alcanza el primer botón lo desabrocha con un solo dedo y luego prosigue su camino hasta el segundo botón que también desabrocha. Sigue avanzando, se toma su tiempo y te provoca hasta que tienes toda la blusa desabrochada. Tira de las solapas para abrirla y te saca un pecho del sujetador para deslizar la lengua por tu pezón. Ruges cuando te lo pellizca y él sopla con suavidad antes de volver a lamerlo. Los contrastes hacen que te contonees: sus duros dedos, la suavidad de su lengua, su aliento frío sobre tu piel ardiente…

Entonces se centra en tus hombros y va alternando pequeños e intensos mordiscos con lametones suaves. No te cabe ninguna duda de que esos mordiscos te van a dejar marcas y la idea de tener recuerdos de su origen te excita todavía más.

Por fin se decide a acariciarte el muslo y meterte la mano por debajo de la falda. Te estremeces hambrienta de más. Se inclina hacia delante y te vuelve a besar justo cuando su pulgar encuentra tu sexo y lo tantea con suavidad. Te retuerces tratando de pegarlo más a tu cuerpo, pero te frustras cuando notas el tirón de las esposas que os unen los brazos. Y, sin embargo, hay algo delicioso en la frustración de no poder conseguir lo que quieres, bueno, lo que necesitas.

—Sólo te haré una última pregunta, señora —te jadea al oído—. ¿Es esto lo que quieres?

—Sí —susurras.

—¿Así? —te pregunta metiéndote un dedo en el coño que te hace gemir.

—Más —jadeas, e inserta un segundo dedo en tu interior.

Cuando empieza a moverlos a un ritmo constante te apoyas sobre tus brazos y te corres a toda velocidad. Luego te separa las piernas mientras tú te apoyas y te sientas en la mesa: la cabeza te da vueltas. Entonces se agacha y empieza a chuparte el coño apoyándote en el muslo la mano que tiene esposada a la tuya. Te estremeces. Todavía tienes el coño hipersensibilizado a causa del orgasmo, pero él evita tu clítoris, se centra en tu abertura y empieza a meter y sacar la lengua de tu agujero hasta que vuelves a gemir de nuevo. Es casi irresistible.

Entonces parece darse cuenta de que la situación te está superando y se vuelve a poner en pie, entrelaza los dedos con los de la mano que tienes esposada a la suya, y te besa con fuerza. Te pierdes en la sensación de su boca, pero no ha olvidado tu coño y presiona una rodilla suave y rítmicamente contra él mientras te besa. La mano que tiene libre se desplaza libremente por tu cuerpo, estrujándote los pechos y retorciéndote los pezones. Luego se vuelve a poner de rodillas para enterrar la boca en tu sexo, lamerte y chuparte hasta que palpitas y te tambaleas.

—Oh, Dios —exclamas sintiendo su lengua y sus dedos de nuevo en tus profundidades. Poco después se concentra en tu clítoris y todas las sensaciones se unen para prometer un feroz orgasmo. Esta vez te corres en silencio, pero dos enormes lágrimas escapan de tus ojos y te resbalan por las mejillas.

Cuando vuelves a aterrizar en este planeta, él se pone de pie y te limpia una de las lágrimas. Se hace una larga pausa y entonces pregunta:

—Estabas de broma cuando dijiste que no sabías dónde habías dejado la llave de las esposas, ¿no?

Le rodeas el cuello con la mano libre entre risas, pero estás demasiado cansada y satisfecha como para tomarle el pelo.

—Está en la bolsa. En el bolsillo lateral.

Alarga el brazo para cogerla, luego busca tu muñeca y oyes un clic. Quedáis los dos libres y te frota la muñeca justo en la zona que estaba en contacto con el frío metal.

—Ya hemos probado uno. Nos quedan dos.

—¿Dos?

Señala los dos látigos que hay sobre la mesa.

—¿Y qué pasa con eso? —dices señalando el último artículo: la máscara.

—Eso no lo necesitaremos —dice cogiéndote—. Estoy seguro de que entraremos en calor sin tener que utilizarla. Y ya tenemos muchas cosas que hacer esta noche.

FINAL

Sales corriendo para coger tu vuelo

—Si me doy prisa todavía podré coger mi vuelo —dices mirando el reloj y recogiendo tus cosas para meterlas en la bolsa. Es mono, pero ¿qué vas a hacer, tirártelo en la sala de interrogatorios? Además, te están esperando las aventuras en Ámsterdam y el PequeñoChicoHolandés, alias Sven.

El guardia sostiene en alto las esposas.

—Me temo que no puedes subir con esto al avión. Va contra las normas de la compañía aérea.

—¿Prometes que cuidarás de ellas?

—Te doy mi palabra —dice esbozando una lenta sonrisa.

Justo antes de irte, te da la máscara.

—Será mejor que te lleves esto. No querría que cogieras frío.

Sales corriendo hacia tu puerta de embarque sin parar de reír y con la bolsa un poco más ligera que hace cuarenta y cinco minutos.

* * *

Llegas a tiempo para embarcar y suspiras aliviada, y todavía te pones más contenta cuando descubres que tu vuelo no va muy lleno. Mientras te estás peleando con uno de los compartimentos superiores para meter tu bolsa dentro, detrás de ti se para un hombre para ayudarte. Por lo menos la caballerosidad no ha muerto. Cuando levanta tu bolsa por encima de su cabeza te regodeas en sus bíceps. Se le levanta la camisa y puedes ver un trozo de la suave y bronceada piel de su abdomen junto a una hilera de sedoso vello que desciende hasta la cintura de sus vaqueros. Te sorprende mirándole y te sonrojas, le das las gracias, y luego te sientas en la butaca para que pueda seguir avanzando por el pasillo.

—Ese es mi sitio —dice señalando el asiento que hay junto a ti al lado de la ventana. ¡Típico! Vuelves al pasillo y dejas que se deslice hasta su asiento. Luego te acomodas en tu butaca y le vas lanzando miradas en secreto con la esperanza de que el asiento que hay entre vosotros se quede libre. Entonces oyes la voz del capitán anunciando por megafonía que la salida del vuelo se retrasará a causa de la niebla e intercambias una mirada de desesperación con tu vecino.

—Espero que no tengas mucha prisa por llegar —comenta.

—No mucha.

—¿Viajas por negocios o por placer? —te pregunta.

—Intentaré disfrutar del viaje al máximo —le respondes—. ¿Y tú?

—Por trabajo.

—Espera, déjame adivinar, ¿eres astronauta?

Se ríe y se le ilumina la cara.

—Está bien, espera —le dices—. ¿Trapecista?

Se vuelve a reír y niega con la cabeza.

—¿Especialista? ¿Soplador de vidrio? ¿Ingeniero espacial?

—Arquitecto.

—Esa iba a ser mi siguiente opción. ¡Te lo juro! —le prometes.

—¿Y tu marido no viaja contigo? —te pregunta, y tú entiendes perfectamente que está empleando el código internacional para saber si estás soltera.

—No hay ningún marido —le dices levantando el dedo anular y ondeando la ausencia de anillo ante sus ojos—. ¿Y qué hay de ti? ¿A tu mujer o a tu novia no le importa que viajes solo?

—No, no les importa a ninguna de las dos —dice sonriendo de oreja a oreja.

* * *

El retraso se alarga tanto que la tripulación decide servir bebidas para contentar al pasaje. Pero la conversación con tu vecino es tan amena que apenas te has dado cuenta del tiempo que ha pasado. Ya os habéis explicado las cosas básicas de vuestros respectivos currículums y ya sabes que tu nuevo amigo se llama Ryan, que va de camino a una conferencia, le gusta la escalada y viajar, y que hay algo incomprensiblemente sexy en la forma en que frunce el ceño cada vez que sonríe. Eso no ha tenido que explicártelo él, es una conclusión a la que has llegado tú solita.

Cuando sirven la comida él pide filete y tú pollo. Te da sus aceitunas y los dos os dejáis los pimientos verdes: ambos coincidís en que son esbirros del diablo.

—Deberíamos acabarnos esto —dice Ryan dándole unos golpecitos a la botella de vino en miniatura.

—Una cena, vino… Si no estuviéramos atados a las sillas y metidos en una enorme caja metálica, esto sería muy parecido a una cita —le dices sosteniendo el vaso para que lo pueda llenar hasta arriba.

—Sí, pero sólo para que quede claro. Si saliera contigo no te llevaría a ningún sitio donde te sirvieran la bebida en vasos de plástico.

Por fin el capitán anuncia que el avión despegará en diez minutos. La azafata os retira las bandejas, las luces de la cabina se atenúan para el despegue y, cuando el avión se empieza a mover camino de la pista de despegue, desenrollas los auriculares y los enchufas. Te pones a tocar la pantalla táctil, eliges algo al azar y presionas *play*. Pero no se oye nada. Presionas los botones con fuerza y subes el volumen al máximo, pero nada.

—Podemos compartir los míos, si quieres —te dice el vecino desconectando un par de auriculares de su iPod—. Además, con estos se oirá mucho mejor.

 Si prefieres leer un libro, ve a la página 44

 Si quieres compartir sus auriculares, ve a la página 45

Prefieres leer un libro

—Eres muy amable, gracias. Pero creo que leeré un rato —dices metiendo la mano en el bolsillo del bolso que has dejado a tus pies.

—¿Qué lees? —te pregunta.

—Aún no lo he empezado. Se titula *Una chica acude a una cita a ciegas*.

Le enseñas la portada.

—Espero que disfrutes de la lectura —comenta.

—Estoy segura de que lo haré —le contestas recostándote mientras abres el libro. No hay nada como las infinitas posibilidades de un libro nuevo.

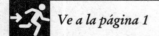 *Ve a la página 1*

Compartes los auriculares

En cuanto se apaga la luz que obliga a abrocharse el cinturón, Ryan se sienta en la butaca contigua a la tuya y sientes una pequeña chispa ante su proximidad.

—Cena y película —dice—. Ahora sí que es una cita de verdad.

Levanta el reposabrazos que hay entre los asientos y percibes el calor de su cuerpo.

—¿Qué prefieres: comedia romántica, acción o terror? —le preguntas. Juntos elegís una película protagonizada por una pareja de actores que los dos conocéis y os acomodáis en vuestros asientos, cada uno con una manta por encima. Eso de que tu oreja izquierda esté conectada con su oreja derecha te hace sentir como una adolescente, pero en el buen sentido.

Presionas *play*, aparecen los títulos de crédito y casi se puede decir que los dos levitáis de las butacas: has olvidado bajar el volumen después de comprobar tus auriculares rotos. Le quitas el sonido y los dos os reís mientras él reajusta el nivel del sonido.

Mientras veis la película eres muy consciente de que tiene la pierna y el brazo pegados a tu cuerpo, cosa que te provoca pequeñas punzadas de deseo por todo el cuerpo. Te esfuerzas por concentrarte en la película. Te resulta muy excitante notar que te está tocando de esa forma tan inofensiva y sientes la tentación de apartarte un centímetro, lo justo para aliviar la tensión sexual, pero eres incapaz de apartarte de él. Cada vez que se mueve analizas la situación para decidir si es una maniobra táctica o si sólo intenta ponerse cómodo en la estrecha butaca del avión.

Tus pensamientos evocan un momento a Sven, que te estará esperando en Ámsterdam, pero aún no le has conocido en persona. Y probablemente sea culpa suya que te excites con tanta facilidad después de tantas semanas de preliminares cibernéticos.

Unos quince minutos después llega una escena de sexo explícito y se te seca la boca mientras te preguntas si Ryan habrá elegido la película a propósito. El hombre de la pantalla agarra a su amante y la besa apasionadamente. Luego le rompe la blusa y veis un primer plano de sus perfectos pechos y sus endurecidos pezones. Eres incapaz de despegar los ojos de la pantalla. Entonces el actor se mete uno de esos pezones en la boca mientras levanta la falda de su compañera. Ryan se mueve a tu lado y al mirarlo te resulta imposible ignorar la tienda de campaña que tiene debajo de la manta. Es evidente que está muy excitado. Te pilla mirando y los dos apartáis la mirada rápidamente.

Cuando la actriz le quita la camisa a su compañero y le desliza las uñas por el pecho, tú pasas una mano vacilante por debajo de la manta de Ryan y dejas resbalar las yemas de los dedos por su muslo. Escuchas como inspira hondo.

Los dos os concentráis en la pantalla y entonces el protagonista le quita las bragas a su amante y entierra la cara entre sus piernas.

De repente notas el avance de su mano por debajo de tu manta. Su ligera caricia se aventura por tu muslo hasta colarse por debajo de tu falda. Le presionas un poco la pierna con la intención de animarle. Su forma de tocarte la pierna cada vez es más firme y atrevida y te masajea la carne con los dedos dibujando lentos círculos en dirección ascendente.

A medida que la escena sexual se va animando, más te excitas, y le agarras la polla, que encaja perfectamente dentro de la palma de tu mano por debajo de la manta. Su verga cabecea y ya no lo soportas más: le bajas la cremallera y deslizas la mano por su erección por encima de la suave tela de algodón de sus calzoncillos. Luego dejas resbalar la mano para cogerle los testículos.

Él también empieza a ascender por tu cuerpo con los dedos y te acaricia el coño por encima de las bragas. Se te empapan al percibir su caricia y presionas el sexo contra la palma de su mano separando un poco las piernas. Cuando notas que tira del elástico para meter la mano por debajo de la tela, inspiras hondo y en seguida percibes el calor de su cálida piel contra la tuya. Te acaricia el coño y luego posa los dedos sobre tu abertura para deslizar un dedo de arriba abajo. Te retuerces de placer y se te cae el auricular.

Los dos os quedáis de piedra cuando una azafata pasa junto a vosotros por el oscuro pasillo. Le apartas la mano de la polla.

—Creo que voy a ir al baño —le susurras al oído—. Si quieres puedes venir conmigo.

Él separa el dedo de tu sexo con ciertas reticencias, pero te estimula un poco más el clítoris antes de recuperar la mano del todo.

Te colocas bien la falda por debajo de la manta y te levantas para cruzar la oscura cabina. Mientras pasas junto a los adormilados pasajeros sientes que él te sigue de cerca.

Os embutís en el cubículo y cerráis la puerta. El espacio es tan minúsculo que en seguida quedáis pegados. Sin decir ni media palabra, te agarra y te besa por primera vez, te mete la lengua en la boca y sientes todo su cuerpo contra el tuyo.

Entonces se empieza a pelear con los botones de tu blusa para desabrocharlos. Luego alarga los brazos en busca del cierre de tu sujetador mientras te sube la falda y. tú te mueres por su polla, estás desesperada por sentir la sedosa dureza en tus manos. Le bajas la cremallera y desabrochas el botón de sus pantalones, se los bajas y liberas su erección, que apunta al techo con orgullo. Vuelves a sentir sus manos en tus bragas: te las baja por las piernas y posa las manos en los labios de tu sexo para estimulártelos con los dedos.

Jadeas cuando uno de sus exploradores dedos se vuelve a internar en ti.

—¿Quieres follarme? —le susurras al oído mientras acaricias su durísima polla.

—Ya lo creo —ruge.

—Quiero que me la metas —murmuras sin estar muy segura del espíritu que te ha poseído, pero encantada de todos modos.

Te da media vuelta y tú apoyas ambas manos en el espejo que tienes delante empañándolo con tu aliento. Te muerde la nuca y el lóbulo de la oreja. Después te pasa las manos por delante para agarrarte de los pechos. Sus caricias descienden de nuevo hasta encontrar primero tu clítoris y luego la abertura de tu coño, y te vuelve a explorar con un dedo. El sonido de tu humedad al contacto con su dedo es perfectamente audible. Al poco oyes cómo se abre el paquete de un preservativo y comprendes que ha llegado la hora de separar las piernas, inclinarte hacia delante y prepararte.

Te masajea las nalgas con una mano mientras el glande de su polla te empuja desde atrás. Le acercas el culo para que te pueda penetrar y gritas cuando dilata tu sexo embistiéndote con su verga y se abre paso por tu interior, centímetro a centímetro, hasta que te la mete hasta el fondo.

—¿Estás bien? —murmura.

Y tú contestas:

—¡Oh, sí!

Empieza a follarte dejando escapar un rugido con cada embestida. La sensación es tan placentera que empujas hacia atrás cada vez que te penetra. Al principio adoptas el mismo ritmo que él, pero luego, cuando empiezas a bordear el clímax, tus movimientos adoptan un ritmo más salvaje y fuera de control. Lo único que se oye es el frenético ritmo de tu respiración y el ruido que hace el contacto de vuestra piel al chocar.

—No pares —jadeas. Y algunos segundos después añades—: Me corro.

Y todo tu cuerpo se tensa mientras tus músculos se dilatan y se contraen, y por un momento sólo existes en el mundo de ese orgasmo y las sensaciones se magnifican. Al poco, y después de unas cuantas embestidas más, él también se corre estrechándote los brazos con las manos y dejando escapar un grave rugido.

Pasáis algunos minutos tratando de normalizar la respiración. Y entonces te susurra al oído:

—¿Es sólo cosa mía o acabamos de pasar por una zona de turbulencias?

* * *

Esperas junto a la cinta transportadora a que salga tu equipaje con una pequeña sonrisa en la cara y el sabor de Ryan —que ha salido corriendo para no perder su conexión para Frankfurt—, todavía en los labios. Te vibra el bolsillo y por un segundo piensas que podría ser otra réplica de los muchos orgasmos que has tenido. Pero sólo es el teléfono. Es un mensaje de tu mejor amiga en respuesta al tuyo, en el que le informabas de que habías aterrizado sana y salva.

—¿Has tenido un buen vuelo? ¿Con qué compañía volabas?

—Con Ryan Air —contestas—. Y ha sido jodidamente increíble.

Cuando aparece tu maleta vuelves a sonreír: si el destino es la mitad de bueno que el viaje estás de suerte.

 Ve a la página 51

Has llegado a Ámsterdam

Schiphol parece más bien un centro comercial de lujo que un aeropuerto. Arrastras tu maleta y pasas junto a una tienda de ropa, una tienda de equipaje, una cafetería, una tienda de artículos para turistas donde venden camisetas y cachimbas, y reduces el ritmo cuando pasas por un sex shop muy sofisticado.

Cuando ves el pequeño vibrador violeta en forma de bala en el escaparate piensas que estaría bien comprar algún regalo de bienvenida para Sven. Eso es lo que crees que es, uno de esos vibradores internos con mando a distancia. Entras en la tienda y gastas tus primeros euros en Ámsterdam. «A ver qué pasa», piensas mientras te metes el precioso paquete rosa en el bolso y te encaminas al primer tren que sale con destino a la ciudad. Pero tienes la sensación de que es un dinero bien invertido.

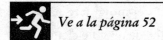

Ve a la página 52

Vas de camino a conocer al escultor con muy buenas vibraciones en el bolso

Casi no te puedes creer que por fin estés en Ámsterdam. Cuando te acercas al restaurante alisándote el vestido que acabas de sacar de la maleta un poco arrugado, sientes un descontrolado revoloteo de mariposas en el estómago. Acabas de dejar el equipaje en el hotel y vas de camino a conocer a Sven en una pintoresca y artística zona llamada De Jordaan.

Aquí las calles que serpentean junto a los canales son estrechas y adoquinadas. Pasas junto a varias casas flotantes, algunas tienen las ventanas rebosantes de brillantes flores, y otras están en desuso y abandonadas. Toda la ciudad es muy antigua, pero por algún motivo no parece vieja, y es gracias a la gente. En esta zona habita una excéntrica mezcla de familias jóvenes, artistas y turistas.

Necesitas volver a mirar el mapa en el móvil y te paras al borde del canal, justo al lado de los restos de una bicicleta encadenada a la barandilla de la que sólo queda el esqueleto: no hay ni rastro de los pedales y las ruedas. Te resulta muy fácil situarte en Ámsterdam. La estación de tren está justo en el centro y las calles y los canales se extienden hacia delante a partir de ese punto organizados en hileras muy lógicas. Te aseguras de la ubicación exacta del restaurante De Tuin donde has quedado con él: ya casi has llegado.

De repente te asaltan las dudas y buscas tu reflejo en el escaparate de una tienda. ¿Y si no se presenta? ¿Y si se presenta, pero no tiene nada que ver con las fotos que te mandó? ¿Y si resulta que es un pervertido, un viejo verde o un estafador profesional que pretende vaciarte la cuenta bancaria? Probablemente deberías haber pensado en todo antes de coger un avión para conocerlo. Ahora ya es tarde para echarse atrás. Has llegado a un acogedor restaurante sin pretensiones con una marquesina de color rojo sangre. Es aquí. Inspiras hondo y entras en el local.

El restaurante está poco iluminado y parpadeas antes de recorrerlo con los ojos. Le ves casi de inmediato —por suerte se parece al tipo que aparecía en sus fotos de perfil—, y te quedas sin aliento cuando os miráis a los ojos. Él sonríe, se pone de pie y se acerca a ti. Es más alto y musculoso de lo que esperabas por las instantáneas. Te resulta muy sencillo hacerte una buena idea de la figura que esconde debajo de la sencilla camisa de manga larga que lleva, y tomas buena nota de su piel olivada y de la cicatriz que le cruza la ceja izquierda. Piensas que eso de que a las chicas les encantan las cicatrices es un cliché por un buen motivo, porque la marca le da un encantador aire de tío duro. Te preguntas cómo se la habrá hecho. Quizá haya sido un accidente de moto; da el tipo de motero. Aunque tal vez le mordiera un perro. Tienes que esforzarte por sofocar la necesidad de repasarla con el dedo.

—Eres tú —te saluda en inglés con un fuerte acento holandés.

—Y tú —le respondes. Os sonreís con calidez. Le tiendes la mano para estrechar la suya mientras él se acerca para abrazarte.

Entonces se aleja y tiende la mano para estrechar la tuya al mismo tiempo que tú te inclinas adelante para abrazarlo. Os reís.

—En Ámsterdam nos saludamos besándonos así —comenta agarrándote de los hombros para besarte en la mejilla. Es muy alto y se tiene que agachar para besarte. Cuando se acerca percibes el olor a colonia mezclado con un toque de aguarrás: el olor de un artista. Aunque también sus manos son las de un artista, ásperas y salpicadas de pintura. Luego se acerca de nuevo para darte un segundo beso en la otra mejilla. Tú te separas instintivamente pensando que ya ha terminado, pero te sujeta con fuerza y tira de ti para darte un tercer beso en la primera mejilla.

—Ya está. Aquí nos besamos tres veces.

Tienes que reprimirte para no señalarte los labios y preguntar: «¿Y cuántas veces os besáis aquí?»

Sven te acompaña hasta su mesa y te retira la silla. Guapo y caballeroso: no para de ganar puntos.

No tenías que haberte preocupado por el tema de la conversación, porque su inglés oral es mucho mejor que su inglés escrito y, aparte de las ocasionales trabas lingüísticas con las que tropezáis, en seguida te das cuenta de que tenéis mucho de qué hablar, empezando por la cicatriz, que se hizo soldando su primer encargo.

En un lapso de tiempo que se te antoja muy escaso, ya habéis pedido y comido un sencillo pero delicioso menú. Cuando os retiran los platos te das cuenta de que sois los únicos clientes que quedan en el local.

Sven te posa la mano en el brazo y la deja reposar sobre él durante algunos segundos. Hasta la última de tus terminaciones nerviosas responde al contacto.

—¿Vamos a mi casa a tomar algo?

¿Por qué no?, piensas. Aún no es tan tarde y no has viajado hasta Ámsterdam para quedarte en una habitación de hotel.

* * *

Estás impresionada. El *loft* de Sven está escondido entre unos lujosos bloques de apartamentos con vistas a un precioso canal. La escalera que conduce hasta su piso desde la calle es tan estrecha y empinada que hay que subir en fila de a uno. Mientras sigues a Sven no puedes evitar fijarte en su perfecto trasero.

—Qué bonito —dices observando el interior de su piso que, aparte de la cocina y un par de puertas que supones deben conducir al baño y los armarios, es completamente diáfano: techos altos y suelos salpicados de pintura. Hay muy pocos muebles, pero de muy buen gusto y elegantes, tiene un sofá y una mesa minimalistas, y una moderna cama de cuatro postes pegada a la pared. Te sorprende que no haya ni un solo cuadro en las paredes.

—¿Te apetece tomar algo? —te pregunta.

—Por favor.

Desaparece en la cocina y aprovechas para explorar el piso con más detalle espiando por la rendija de una puerta que da a un minúsculo y pulcro baño. Luego curioseas tras otra que conecta ese espacio con un estudio lleno de obras de arte y esculturas.

Decides entrar, emocionada ante la idea de ver su arte, pero te arrepientes inmediatamente. ¡Oh no! Lo primero que ves es una escultura de un hombre terriblemente desfigurado. Le sobresale el ojo izquierdo, tiene la boca hinchada y de uno de los costados de su cabeza asoma un bulto espantoso. Te estremeces y avanzas hasta la siguiente pieza: es un paisaje visto a través de los ojos de alguien que sólo puede ser un daltónico perturbado sin ningún sentido del humor. Otra escultura llama tu atención: un hombre y una mujer agachados sobre un vómito. Se te revuelve el estómago. Y tus náuseas no hacen más que aumentar mientras observas las demás piezas expuestas en el estudio: una pintura muy realista de un perro rebuscando en un vertedero, y un llamativo óleo de un payaso de mirada lasciva que atormentará tus sueños durante meses. Cuando oyes el pitido de la tetera te apresuras a volver al salón completamente confundida.

Tienes que afrontar la terrible verdad: es muy posible que Sven sea el peor artista que has conocido en tu vida. ¿Por qué no pensaste en buscar su obra en Internet? Es probable que su arte provoque epilepsia o migrañas. Peor aún, es un insulto para los demás artistas del mundo. Es real, loca y profundamente espantoso. ¿De verdad quieres ir más lejos con un tipo que tiene tan mal gusto?

 Si decides ir más lejos, ve a la página 57

 Si prefieres marcharte, ve a la página 65

Has decidido quedarte

Sven vuelve de la cocina y te ofrece una taza humeante. Lo olfateas: el aroma no te resulta familiar, pero probablemente sea alguna clase de té. Das un pequeño sorbo y te quemas la lengua.

—¡Mierda!

Sven te coge la taza y la deja junto a la suya.

—Se me da mejor besar —dice, y antes de que puedas contestar mete un dedo en el bolsillo de tu vestido, te mira a los ojos un buen rato y se inclina para besarte. Tiene los labios suaves y cálidos —esto supera con creces el cibersexo—, y te olvidas en seguida de tu lengua escaldada.

Te desabrocha el vestido mientras te acaricia el cuello con la otra mano, y luego deja resbalar los dedos por tu espalda para acariciarte la piel que va quedando expuesta a medida que baja la cremallera. Continúa besándote y su habilidosa lengua explora tu boca al tiempo que sus dedos se pasean por tu espalda.

—Eres preciosa. Quiero pintarte —murmura.

—Nunca me han hecho ningún retrato —le confiesas un poco preocupada.

No estás segura de estar preparada para ver una versión de ti misma atrapada en un laberinto de espejos deformantes.

—No, no quiero pintarte —dice.

—Me parece que no te entiendo.

Te mira confundido.

—Te estoy diciendo que quiero pintar sobre ti.

—¿Sobre mí?

—Tu piel es más bonita que un lienzo.

Vaya, qué bonito. ¿Cuántas mujeres habrán caído rendidas tras escuchar esta frase? Pero para ser sincera te sientes un poco aliviada, por lo menos no tendrás que ver su pintura si la hace sobre ti, y la proposición te tiene intrigada.

Se aparta de ti y se quita la camisa. Debajo lleva una camiseta interior blanca. Ves como se mueven sus músculos por debajo de la tela. Luego se pone muy profesional y desaparece en el estudio para salir poco después con una paleta, pinceles y varios tubos de pintura.

—Es pintura acrílica —te explica—. No te preocupes, se va con agua.

Deja los instrumentos para pintar en la mesita y te coge de los hombros y te da la vuelta. Una vez que tiene delante tu espalda desnuda, te aparta el pelo de la nuca y va besando la delicada y sensible piel que encuentra debajo hasta llegar al lóbulo de tu oreja. Se te pone la piel de gallina. Te quita el vestido muy despacio y lo deja caer al suelo: te quedas en bragas, sujetador y tacones. Luego te vuelve a dar media vuelta y te besa mientras te hace recular hasta que tocas la cama con las piernas y os dejáis caer sobre ella.

Seguís besándoos y acariciándoos, estudiando la textura de vuestras respectivas bocas y dedos hasta que se sienta a horcajadas sobre ti y coge la paleta. Observas fascinada como va vertiendo montañitas de color sobre ella: amarillo, azul, rojo y blanco. Mezcla un poco de pintura azul con la amarilla utilizando el dedo y se convierte en un perfecto tono de verde oscuro. Luego vuelve a concentrarse en ti con el dedo lleno de pintura en alto.

—Espera, vas a manchar las sábanas de pintura —le adviertes.

—¡A la mierda las sábanas! —ruge posando el dedo en el hueco que se forma en el centro de tu cuello justo donde se unen tus clavículas. Te dibuja una larga línea en el centro del torso y se detiene cuando llega a la delicada cintura de tus bragas. Entonces deja la paleta en la cama al lado de tu cabeza, te desabrocha el cierre frontal del sujetador y deja tus pechos al descubierto. Te sientes repentinamente avergonzada bajo la escrutadora mirada del artista y te tapas con los brazos. Él te agarra de las muñecas y se inclina sobre ti para devorarte con la boca, cosa que te desarma literalmente. Te ríes al darte cuenta de que ahora él también tiene una línea verde, calcada de tu pecho, que le cruza la camiseta de arriba abajo.

Se la quita de un solo movimiento y lo que ves no te decepciona. Está bronceado y tiene la piel cubierta por una suave capa de vello rubio. Está musculado, pero no parece un pecho trabajado en el gimnasio, sino el resultado de tanto trabajar con el soplete, arrastrar cajas de un lado a otro y estirarse para alcanzar las esquinas de los lienzos. Y te encanta.

Vuelve a coger la paleta y esta vez mete el dedo en la pintura roja. Se concentra y dibuja un amplio círculo alrededor de tu pecho izquierdo. Notas la caricia de su cálido aliento en la piel. Luego, y sin despegarte el dedo del cuerpo, cruza el meridiano verde que había trazado antes. Una vez satisfecho, vuelve a untarse el dedo de pintura roja y repite la maniobra en el otro pecho. Te complace mucho sentir la presión de su erección contra tu cuerpo y te pegas a él con el coño húmedo y hambriento, ansioso de la mínima fricción.

Luego Sven mete el dedo en la pintura amarilla y dibuja otro círculo, esta vez mucho más cercano a tu pezón, pero sin llegar a tocarlo. Coge un poco más de pintura y se dirige al otro pezón, pero en lugar de rodearlo con un círculo dibuja una línea que te cruza el pecho, comenzando desde arriba y deslizándose hacia abajo. Reduce la velocidad del trazo cuando pasa por encima del pezón, que está erecto de la excitación, y a ti se te escapa un gemido. Apenas consigues aguantar la intensidad de su mirada y el roce de su dedo sobre la piel, pero quieres más. Intentas sentarte y esconder la nariz en su cuello, pero él te vuelve a tumbar con suavidad, concentrado en su arte.

Esta vez, cuando se acerca a la paleta, mezcla el verde y el amarillo y dibuja una espiral por tu tripa hasta llegar al elástico de tus bragas. Traza una línea por tu ingle y gimes cuando salta a tus piernas para dibujar largas líneas en una, y ondas en la otra, comenzando en la cara interior de tus muslos para ir bajando hasta los tobillos y volver a subir de nuevo a los muslos.

Por fin emplea una generosa gota de pintura violeta que consigue después de mezclar un poco de azul y rojo con el dedo, y empieza a pintar por encima de tus bragas. Primero dibuja líneas perpendiculares a tu abertura y luego traza una larga línea que empieza en tu ombligo y se deja caer hasta tu monte para reseguir los contornos de tus labios vaginales, resbalar por entre tus piernas y acabar en tu trasero. Te retuerces esperando que lo repita. Y lo hace, pero mucho más despacio.

—Ya basta de arte —suspiras tumbándolo boca arriba para sentarte a horcajadas sobre él.

Esta vez no se resiste. Lo miras a la cara y pasas el pulgar por la cicatriz que le cruza la ceja: es algo que has querido hacer desde que le viste por primera vez. Luego te tumbas encima de él y presionas el pecho contra su cuerpo manchándole el torso de pintura al deslizarte por su cuerpo. Os besáis abrazados y te frotas contra él de tal forma que presionas tu hambriento coño contra el bulto de sus pantalones. Luego desabrochas los botones de sus Levi's y te elevas un poco para dejar que se quite los pantalones y los calzoncillos de un solo movimiento.

Entonces alarga el brazo hasta el cajón de la mesita de noche, saca un preservativo y abre el paquete. Tú se lo quitas, resbalas por su cuerpo y lo deslizas por su palpitante polla llena de pintura. Luego gateas por su cuerpo y te quedas suspendida encima de él un momento antes de descender sobre su ingle. Cuando lo haces sientes cómo su polla se interna en tu sexo. Gritas y le muerdes el hombro, y él se arquea y te penetra con más fuerza.

Por fin os empezáis a follar con fuerza y rapidez y todo se convierte en una espiral de pintura y color. Se corre antes que tú dando un grito, pero tú te sigues moviendo, controlando la velocidad y la intensidad de vuestra unión. Tú sabes muy bien lo que debes hacer para alcanzar el orgasmo, que ya no está muy lejos. Mientras todavía tienes su desinflada polla en tu interior, sigues contoneándote en busca de la cantidad de fricción justa en el clítoris hasta que te corres estremeciéndote con el sabor a pintura en la punta de tu lengua escaldada.

Os tumbáis juntos entre un remolino de sábanas revueltas, sudor y pintura, que se está empezando a secar sobre vuestra piel alimentada por la brisa de la noche.

—Estoy impaciente por enseñarte mi arte y mi ciudad —dice Sven.

Murmuras algo contra la almohada y te entregas al sueño acurrucada contra su cuerpo como si estuvieras en coma.

* * *

Te despiertas algunas horas después preguntándote por un momento dónde estás. Entonces notas la tirantez de la pintura en tu piel y te acuerdas. Estás tumbada junto a Sven, cuya respiración acompasada te da a entender que duerme profundamente. Aunque ha sido una noche divertida, la conversación fue un poco forzada. Y, sin embargo, tampoco puedes culparle, tú tampoco serías una gran interlocutora en una segunda o tercera lengua. No puedes negar que el sexo ha sido increíblemente intenso. Pero tampoco puedes olvidar sus terribles obras de arte. Sólo se puede describir como espantoso. Estás muy sorprendida: te esperabas algo excéntrico, quizá frío y duro —un poco como él—, pero jamás imaginaste esas monstruosidades. Te va a resultar imposible disimular tu mirada horrorizada cuando te lo enseñe. Los artistas son muy sensibles y dudas mucho que vaya a tomárselo bien si le dices que su trabajo, en especial el rollo ese del vómito, es la profecía que se cumple.

Te separas de él y te levantas con cuidado de la cama. Cuando te mueves la pintura se agrieta y se empieza a despegar de tu cuerpo. Sven gruñe y se da media vuelta y tú te quedas inmóvil. Tiene una línea de pintura oscura en la barbilla muy parecida a la cicatriz de la ceja. Te alejas a puntillas y vas cogiendo la ropa y poniéndotela mientras avanzas. Corres descalza y llena de pintura para salir del apartamento y emerger en el amanecer de Ámsterdam. Te pones los tacones y empiezas a caminar por la orilla del canal disfrutando del fresco aire de la madrugada y tratando de averiguar si estarás yendo en la dirección correcta de vuelta a tu hotel.

Por suerte Sven no sabe dónde te alojas. Rebuscas en tu bolso hasta que encuentras el pedacito de papel en el que anotaste su teléfono y su dirección, y cuando llegas a un puente lo tiras y observas cómo flota sobre el agua como si fuera una hoja. Cruzas el puente a toda prisa para evitar que te arrolle una bicicleta y sigues observando cómo flota el papel desde el otro lado hasta que se lo tragan las oscuras profundidades del canal. Al ver cómo desaparecen sus datos de contacto te sientes un poco culpable por haber huido de él de esta forma, a fin de cuentas, el pobre no tiene ni idea de que has visto su terrible obra. Te convences a ti misma de que luego le enviarás un mensaje para darle las gracias por la noche y te inventarás alguna excusa para disculparte por haberte marchado de una forma tan abrupta y permanente.

Te apoyas en la barandilla del puente y observas el agua mientras el cielo se viste de tonos púrpura y empieza a iluminarse. No ha estado tan mal. Te has divertido, ¿qué más da que no hayas encontrado lo que estabas buscando? Aún dispones de veinticuatro horas para disfrutar de una de las ciudades más fascinantes del mundo. Hay montones de museos, tiendas y restaurantes por descubrir.

Y entonces te asalta una idea. No hay ningún motivo por el que tu aventura acabe cuando te marches de Ámsterdam. ¿Por qué no compruebas si tu Luciérnaga de Nueva York sigue teniendo ganas de conocerte? Y también te queda ese misterioso conde de Venecia...

 Para irte a Italia de juerga con el Conde, ve a la página 98

 Para contactar con Luciérnaga y ponerte de camino en dirección a la ciudad que nunca duerme, ve a la página 214

Has decidido marcharte de casa de Sven

Sven vuelve de la cocina con dos humeantes tazas en las manos. Te da tu té y tú coges la taza con ambas manos y soplas en su interior. Está demasiado caliente para beberlo y no te quieres quemar la lengua.

—Muchas gracias por la cena, ha sido maravillosa —le dices.

—Ha sido un placer —contesta—. Yo también la he disfrutado mucho.

Finges un bostezo y miras el reloj.

—La verdad es que estoy destrozada. Debe de ser por el viaje. Creo que voy a volver al hotel a descansar un poco.

No puedes evitar darte cuenta de que Sven parece un poco decepcionado.

—Si quieres te puedo enseñar la ciudad mañana —se ofrece—. Es una época del año estupenda para estar en Ámsterdam. Te podría enseñar mi trabajo y luego podríamos ir a un museo, comer algo...

Se te encoge el corazón cuando le oyes mencionar su trabajo. No estás segura de ser tan buena actriz como para fingir que te gusta.

—Estaría bien —consigues responder.

—¿Te pido un taxi? —te pregunta, y tu asientes agradecida. Coge el teléfono y diez minutos después se oye el ruido de una bocina. Sven te acompaña a la puerta y cuando te vuelves para darle las gracias una vez más, tira de ti cogiéndote por sorpresa. Sus labios son suaves y cálidos, su beso escrutador y hambriento, y sientes el roce de su barba incipiente en la barbilla. Respondes a la caricia de su lengua, caliente e inquisitiva. Y entonces la bocina del taxi vuelve a sonar y se separa de ti.

—Mañana te llevaré a ver algunas cosas —te dice.

Bajas las escaleras con las piernas temblorosas seguida de cerca por Sven. Cuando el taxi arranca te das la vuelta y lo ves parado ante la puerta de su casa rodeado del halo que proyecta la luz. Te asalta una inesperada oleada de deseo y te preguntas si no le habrás prejuzgado. Por suerte todavía dispones de la noche de mañana, que de repente se te antoja muy lejana.

* * *

Has quedado con Sven en su estudio, un local situado a escasas calles de su casa. De camino pasas por el Noordermarkt, un pequeño mercado de agricultores que ocupa un espacio triangular junto a un canal. Las paradas rebosan de comida orgánica; es el sitio perfecto para desayunar. Te paras a tomar un aromático café acompañado de unas crepes con arándanos tardíos, nata agria y azúcar moreno: necesitas fuerzas para afrontar las emociones que promete el día. Cuando encuentras el estudio ya te sientes mucho más fuerte, presionas el botón del interfono y te preparas.

—Por fin vas a ver mi estudio y mi trabajo —dice Sven cogiéndote de la mano para ayudarte a cruzar la puerta.

Estás muerta de miedo ante la perspectiva de tener que ver alguna de esas terribles obras de arte. En realidad, has estado practicando tu cara de «me encanta» en el hotel.

Cuando entras en el estudio, lo primero que ves es una enorme escultura de bronce que representa un hombre y una mujer abrazándose, y te quedas sin aliento. Esto no era lo que esperabas.

—¿Puedo tocarla? —susurras.

Sven asiente.

Deslizas los dedos con suavidad por encima de la falda ligeramente levantada de la mujer. Los pliegues de su vestido son tan suaves y reales que de verdad parece que los haya levantado una corriente de aire. Te cuesta creer que estés tocando la textura de un metal rígido en lugar de seda. Y a pesar de ser frío al tacto, la escultura irradia una energía increíblemente cálida, como si la pasión que desprende la pareja irradiara desde el interior. No tienes por qué fingir nada: tu cara de admiración es muy real.

Te desplazas hasta la siguiente pieza, es un dibujo al carboncillo de un caballo. Los músculos de sus costados están dibujados con tal precisión que tienes la sensación de que va a salir galopando de la pared. Miras a tu alrededor y ves media docena de piezas más, algunas están colgadas, otras apoyadas contra la pared, y todas reflejan la misma pasión en su ejecución. No hay ni una sola obra en esa sala que no te llevarías encantada a tu casa.

—Son increíbles —consigues decir por fin.

Tu voz es el único sonido audible en el estudio.

—¿Estás sorprendida? —te pregunta.

—No, bueno, es que esto no tiene nada que ver con las otras obras.

—¿Qué otras obras?

—Las que tienes en casa.

—¿De qué obras hablas? ¿Te refieres a la habitación que hay junto a mi *loft*?

Asientes vacilante.

—¡Esas obras no son mías!

—¿Ah no?

—¡No! ¿De verdad pensaste que yo podría hacer esas cosas? ¿Creías que se me ocurriría retratar gente vomitando? —Da un paso atrás completamente horrorizado—. Esas piezas son de un amigo mío. Está pasando por algunos problemas, intentando desintoxicarse de su adicción a las drogas, ha perdido a sus hijos al divorciarse. Yo le guardo las obras hasta que se recupere.

Te sientes liberada. ¿Cómo pudiste pensar que esas horribles obras eran suyas? El hombre con el que habías chateado jamás habría creado semejantes abominaciones.

—Ya imaginaba que no podían ser tuyas —dices tratando de rectificar—. Tu trabajo es igual que tú: hermoso, creativo y muy sensual.

Te das cuenta de que se relaja y te reprendes mentalmente: la cosa se podría haber torcido en un segundo.

—Bueno, ¿qué me dices de la ciudad? —comentas cambiando de tema—. ¿Qué me vas a enseñar primero?

—Eso depende. ¿Qué faceta de Ámsterdam te apetece ver? —te pregunta.

—¿Qué facetas tiene?

—Bueno, no dispones de mucho tiempo y Ámsterdam tiene muchas caras. Tendrás que decidir. Podemos centrarnos en la parte cultural de la ciudad, o en la parte sexy. Es cosa tuya.

 Si quieres disfrutar de la parte cultural de Ámsterdam, ve a la página 70

 Si quieres ver la parte sexy de Ámsterdam, ve a la página 88

Te vas a ver la parte cultural de Ámsterdam

En alguna ocasión has visto imágenes del barrio rojo de Ámsterdam y lo cierto es que eso no va contigo.

—Centrémonos en lo cultural —contestas—. ¿Qué tienes en mente?

Sven reflexiona un momento.

—¿Qué te parece si vamos al museo Van Gogh? Es muy turístico, pero es uno de mis sitios preferidos de la ciudad.

De repente recuerdas el pequeño vibrador violeta que llevas en el bolso. Un museo sería el lugar perfecto para probarlo.

—Suena bien —dices, y a Sven se le ilumina el rostro como un árbol de Navidad, cosa que denota que ha olvidado el desliz que has cometido hace un momento.

Sólo tienes que tomar una pequeña decisión: ¿quién tendrá el control durante la salida? ¿Prefieres quedarte el mando a distancia y ocuparte tú misma del tema? ¿O te gusta compartir tus juguetes y le das todo el control a Sven?

Por una parte sería increíblemente alucinante poderte proporcionar a ti misma un discreto orgasmo en un lugar público, y nada menos que en un museo tan conocido como ese y sin que nadie se de cuenta de lo que haces. Pero por otro lado, ¿no sería más divertido tener un cómplice?

 Si quieres darle el mando a distancia a Sven, ve a la página 71

 Si quieres quedarte tú el mando a distancia, ve a la página 79

Has decidido darle el mando a distancia a Sven

Te metes en el servicio del estudio y te miras en el espejo. ¿Quién es esta loca que se lanza a por lo que quiere sin pensarlo dos veces? Tienes la sensación de que apenas la conoces, pero te cae muy bien.

«¡Qué diablos!», piensas. Estás lejos de tu casa y es muy improbable que te encuentres con algún conocido. Incluso aunque todo esto acabe saliendo fatal, no tienes por qué volver a ver a Sven, ¿qué puedes perder?

Te sientas en el baño, abres el paquete y sacas el vibrador violeta, cuya forma está a caballo entre una bala enorme y un huevo ligeramente alargado con un cordel en uno de los extremos. El mando a distancia parece el control remoto del garaje y tiene tres botones: el de encendido, otro en el que hay dibujado un símbolo positivo, y otro con un símbolo negativo.

Lo pones en marcha y la bala empieza a vibrar sobre la palma de tu mano. Presionas el signo positivo y vas comprobando las distintas posiciones del artefacto, que comienzan con un suave zumbido hasta la posición más alta, que provoca un sinfín de vibraciones distintas en tu mano.

Lo apagas y, con las manos temblorosas, te desabrochas los vaqueros, te bajas las bragas y te insertas la bala con cuidado. Cuando te levantas sólo notas una pequeña presión.

Luego vuelves a meter el mando a distancia en la caja, lo envuelves todo con varios pañuelos y lo atas con una goma de pelo de color rosa que encuentras en el fondo del bolso. Te abrochas los vaqueros, te lavas las manos, recuperas la compostura y le asientes a tu reflejo antes de salir del estudio.

—Te he traído una cosa —le dices ofreciéndole la pequeña caja con su improvisado envoltorio.

Sven levanta la mirada alegremente sorprendido.

—¿Para mí?

—Bueno, es un poco para los dos —le confiesas.

Él rasga el envoltorio y lo deja caer al suelo. Se te escapa una sonrisa: en alguna parte leíste que se podía saber la clase de amante que es una persona por la forma que tiene de abrir los regalos. Están los cuidadosos, que lo abren todo con mucha cautela para no romperlo, quizá con la intención de poder reutilizar el papel; y luego están los demoledores, que están tan ansiosos por ver lo que hay en el paquete que apenas le prestan atención al envoltorio. Los últimos son los que después te arrancan la ropa para llegar cuanto antes a ti. Y por lo visto has encontrado un demoledor.

Sven coge el mando a distancia con sus callosas manos y lo mira con atención.

—¿Qué es? —pregunta dándole la vuelta.

—Es un mando a distancia.

—¿Y qué pone en marcha?

Recoges la caja del suelo y le enseñas la fotografía de la bala violeta que aparece en la caja.

Sven tarda un momento en comprender lo que es, pero luego sonríe. Vuelve a observar el mando a distancia y le da vueltas sobre la palma de la mano.

—¿Y dónde está?

Tragas saliva y te señalas el regazo notando un cosquilleo en el sexo debido a tu actitud descarada. Se queda boquiabierto.

—¿No íbamos a ver un museo? —dices cogiendo el bolso y el abrigo de camino a la puerta. Te sientes incapaz de seguir aguantándole la mirada ni un segundo más.

Sven te alcanza en seguida, te coge de la mano y te guía por las calles de Ámsterdam. Hay canales, gente y bicicletas por todas partes. En cada rincón te asalta el olor de la bollería, aceite caliente y café, incluso alguna ocasional ráfaga de olor a canuto, el terrenal aroma de las hojas que enmoquetan el suelo y el humo de las motocicletas. Tienes que estar alerta, no llevas ni veinticuatro horas en Ámsterdam y ya han estado a punto de atropellarte cuatro bicicletas y un tranvía.

Sven señala un tranvía que viene en vuestra dirección y tienes que correr los últimos metros para cogerlo. Él paga los billetes y luego te sigue por el pasillo. Cuando el tranvía se pone en marcha pierdes el equilibrio y te tambaleas contra él notando el contacto de su duro pecho contra la espalda. Te sientas y él elige la butaca que está justo detrás de la tuya pero al otro lado del pasillo. Notas cómo te clava los ojos en la nuca.

El tranvía se agita con aspereza sobre los raíles y te agarras al asiento que tienes delante. Entonces te sobresaltas al sentir una ligera vibración en el coño. Vuelves la cabeza hacia Sven, que está reclinado con despreocupación en su asiento y mira por la ventana silbando con inocencia.

Vuelves a mirar hacia delante y te concentras en la sensación. Es un pequeño temblor, apenas es perceptible por entre las vibraciones del tranvía, pero su presencia es evidente. De repente la intensidad sube de nivel y te vuelves a dar la vuelta. Sven sigue mirando por la ventana, pero la malicia le arruga los ojos.

Y cuando el artefacto alcanza el siguiente nivel, cierras los ojos decidida a no dejar que te vea reaccionando de esa forma. Las pulsaciones que sientes en el coño son sublimes y tienes que cerrar las piernas y concentrarte mucho para que lo que estás sintiendo no se refleje en tu cara. Te agarras con fuerza al asiento de delante y aprietas tanto la barra que se te ponen los nudillos blancos.

Las vibraciones se detienen. Carraspeas, abres los ojos y te sientas bien derecha soltando el asiento. Mientras cruzas las piernas con despreocupación y actúas como si no hubiera pasado nada, piensas que no vas a darle la satisfacción a Sven de volver a mirarlo. Permaneces alerta por si notas más movimientos ahí abajo, pero la bala sigue parada y agradeces tener la oportunidad de recuperar la compostura y poder disfrutar un poco de las vistas y los sonidos de Ámsterdam. No se parece a ninguna de las ciudades que has visitado hasta ahora: tiene mucha historia, y a pesar de estar erigida con piedras y ladrillos oscuros, es una urbe vibrante gracias a los colores, el ajetreo y el dinamismo de sus habitantes. Al final te vuelves para sonreírle y te resulta imposible ignorar el bulto que le ha crecido en los pantalones.

«Qué bien», piensas. «Por lo menos no eres la única que está excitada».

* * *

Os ponéis los dos en la cola de turistas que esperan para entrar al Museo Van Gogh, y la inusual arquitectura del edificio te hace olvidar momentáneamente tu interesante situación interna. Te sorprende lo moderno que es, una estructura erigida a base de cubos de cristal y hormigón.

—¿Estás bien? —te murmura Sven al oído.

—Como nunca —le contestas con una pequeña sonrisa en los labios—. Pero quizá debamos poner algunas normas.

—Me parece bien.

—Creo que deberíamos establecer una señal para indicar cuando parar y cuando empezar.

Sven medita un momento.

—¿Qué te parece si usamos los cuadros? —sugiere—. Cuando me digas que te gusta una obra entenderé que quieres empezar, y cuando no te guste pararé.

Asientes y Sven te rodea con el brazo y te besa con fuerza. Desliza la pierna izquierda entre las tuyas y descubres que estás hipersensible a la presión de su pierna contra tus vaqueros y a la inmóvil y sólida presencia de la bala en tu interior. Saber que Sven tiene el control del vibrador resulta excitante. Le besas con más intensidad y por un momento olvidas que estáis rodeados de un montón de turistas sedientos de cultura.

—Vamos a ver un poco de arte —dice Sven sonriéndote.

Y así empiezas a pasear por el museo muy alerta, esperando a que accione la bala. Como apasionado del arte que es, Sven se detiene ante cada obra y va compartiendo contigo algunos datos sobre Van Gogh con su inglés teñido de acento holandés; es como tener un guía para ti sola que además está buenísimo. Al rato empiezas a preguntarte si se habrá olvidado del mando a distancia que lleva en el bolsillo y del vibrador que llevas dentro, y decides hacer lo mismo que él y sencillamente disfrutar del arte. Media hora después, cuando estás completamente absorta por *La Casa Amarilla*, notas un repentino temblor dentro de ti. Sven está de pie junto a ti observando la pintura con inocencia y las manos metidas en los bolsillos.

Tú separas un poco más las piernas y tratas de respirar con regularidad. Se acerca a ti.

—¿Qué te parece esta pintura?

Tragas saliva.

—¿Esta? —preguntas intentando no subir la voz—. Me gusta.

Luego sigues adelante y te detienes frente al siguiente cuadro, un árbol en flor. Cuando te detienes las vibraciones de tu interior suben de nivel y tienes que hacer acopio de toda tu fuerza de voluntad para no esbozar ninguna mueca.

Sven se desliza junto a ti y te posa la mano en la base de la espalda aplicando la presión justa.

—¿Y qué te parece este? —te pregunta con la voz entrecortada.

—Este también me gusta bastante, pero no es el que más me gusta —dices mordiéndote el labio inferior y fingiendo examinar el cuadro con detalle. Pero se te está empezando a acelerar el corazón, las vibraciones comienzan a desplazarse hasta tu punto G y notas como se aproxima el orgasmo.

Sven te coge de la mano y, mientras la bala sigue vibrando, te acompaña hacia la siguiente pintura subiendo las vibraciones al siguiente nivel. Ya no tiene nada de sutil y, como ya no confías en que tus piernas puedan soportar el peso de tu cuerpo, te sientas en un banco y cruzas las piernas con fuerza. Sven se sienta a tu lado y te estrecha contra su cuerpo mientras tu orgasmo te empieza a quemar por dentro. Una vez desatado ya no puedes hacer nada para detenerlo y dejas que te recorra en oleadas hasta que ya no puedes soportar más las vibraciones.

—Este no me gusta —gritas poseída por la agonía del orgasmo—. ¡No me gusta nada!

Las vibraciones disminuyen gradualmente y los últimos coletazos del orgasmo te recorren el cuerpo de arriba abajo. Cuando levantas la vista te das cuenta de que estabas diciendo a voz en grito que no te gustaba uno de los autoretratos más famosos de Van Gogh. Una pareja muy seria que probablemente tengan cuatro doctorados en Historia del Arte te miran horrorizados, y el propio Van Gogh te observa con tristeza desde detrás de su caballete.

Entierras la cabeza en el hombro de Sven y aspiras su fragancia almizclada advirtiendo que su polla palpita bajo la tela de sus vaqueros y presiona la cremallera. Por lo visto está tan excitado como tú.

—¿De verdad no te gusta? Pues no sé qué decirte… —dice Sven estrechándote la mano—. Creo que se acaba de convertir en mi cuadro preferido.

Has decidido quedarte el mando a distancia

El Museo Van Gogh es magnífico. Por fuera es incluso demasiado moderno: cristal, acero y hormigón apilados como si fueran bloques de construcción de juguete. Por dentro es un oasis, incluso a pesar de la muchedumbre que recorre sus pasillos. Siempre te ha encantado ver obras de arte por primera vez, siempre son más pequeñas, grandes, tienen texturas distintas o colores más vivos o más apagados de lo que habías imaginado.

Vais recorriendo juntos las galerías y Sven contesta todas tus preguntas sobre arte. Es evidente que conoce el museo como la palma de su mano.

Al rato te excusas y entras en el servicio más cercano. Dentro de la privacidad del cubículo, extraes la bala del paquete, lees las instrucciones, inspiras hondo y te la insertas.

Luego te levantas, te colocas bien la ropa y pones el vibrador en marcha. Seleccionas el primer nivel y te preparas para la experiencia. La bala cobra vida dentro de ti y te sobresaltas. Es una sensación extraña, jamás habías vibrado desde el interior. Te desplazas por el interior del cubículo con indecisión y te das cuenta de que te sientes cómoda, por lo que lo subes un nivel y luego otro para saber hasta dónde llega. Pero como aún no te quieres excitar mucho lo apagas.

Mientras te lavas las manos te estremeces ante la expectativa. Te excita mucho pensar que Sven nunca sabrá que te has corrido viendo cuadros de Van Gogh.

Cuando vuelves a la sala lo ves observando de cerca la famosa pintura de los lirios violetas. Está tan concentrado que apenas se da cuenta de que has vuelto. Te colocas junto a él, te metes la mano en el bolsillo y accionas el primer nivel del vibrador sintiendo cómo la bala se agita en tu interior. La sensación no basta para excitarte mucho, pero sí para que seas consciente de su sutil zumbido.

Sven te da la mano mientras os acercáis a la siguiente pintura; esa es la única señal que te da a entender que sabe que estás ahí. Pero no te importa. La verdad es que te gusta ver lo apasionado que se muestra por cuadros que ha visto tantas veces.

Tú subes el nivel del vibrador a escondidas y cuando la bala dobla su intensidad no puedes evitar estrechar la mano de él. La vibración ya no es tan sutil y las paredes internas de tu sexo zumban a causa del temblor. Entonces descubres que si aprietas los músculos del coño también te vibra el clítoris, cosa que te provoca una sensación espectacular, una sensación que podría conseguir que te corrieras en cuestión de minutos. Pero eso sería demasiado rápido y quieres alargar un poco el juego.

Ves un banco en la sala siguiente y te acercas a él fingiendo observar el cuadro que tienes delante mientras Sven se concentra en uno de los autorretratos de Van Gogh. Accionas el mando a distancia a la máxima potencia y te recuestas mientras la bala se vuelve loca dentro de ti. Empiezas a contraer y relajar los músculos de tu coño muy despacio consiguiendo que las radiaciones sean cada vez más intensas; ahora las sientes trepar por tu espalda. Y estando sentada puedes sentirlas incluso en las nalgas: te vibra todo el cuerpo.

Ya no aguantas más: un orgasmo dobla la esquina y sale disparado en tu dirección. Cruzas las piernas y aprietas con fuerza intensificando todavía más las vibraciones. Luego cierras los ojos y notas que los latidos de tu corazón te palpitan en las orejas. Te corres con violencia y eres incapaz de reprimir un gemido. En seguida te apresuras a buscar el mando a distancia en tu bolsillo para apagarlo y poder concentrarte en parecer lo más discreta posible mientras recuperas la compostura.

Abres los ojos y miras a tu alrededor: la sala recupera la forma ante tus ojos. Por suerte sólo te están mirando fijamente un guardia de seguridad, que parece muy aburrido en la otra esquina de la sala, y una anciana.

Sven está observando una escultura con atención y tú te levantas y te acercas a él con las piernas temblorosas.

—Qué bonita —dices observando un busto femenino de bronce.

—Quiero moldearte —dice estremeciéndote al posar los labios junto a tu oreja.

—¿Te refieres a que quieres follarme?

—Eso también —dice con una mirada avergonzada—. Pero lo que quería decir es que quiero esculpirte, hacer un busto de tu cuerpo. ¡Yo lo puedo hacer mejor!

—¿Tú crees? —dices mientras tu coño postorgásmico se vuelve a contraer al saber que por fin vas a sentir sus manos sobre la piel.

—¿Cómo va esto exactamente? —preguntas.

—Es muy fácil. Tú te quitas la ropa y yo hago un molde de tu cuerpo en yeso. Luego lo cubro de bronce.

Vuelves a estar en su piso y ya hace un buen rato que has apagado el vibrador. Sven está enterrado hasta los codos en un cubo de pasta blanca y la remueve. Técnicamente ya has tenido un orgasmo delante de este tío —y también de Van Gogh—, por lo que desnudarte delante de él ya no te parece que sea para tanto.

Te metes en el baño y te quitas los vaqueros y la bala, y te das cuenta de que tu coño ha vuelto a despertar. Estás alucinada (y secretamente entusiasmada) por tu apetito sexual. Sven apenas te ha tocado —el orgasmo que has tenido ha sido básicamente cosa tuya—, y tienes muchas ganas de que le preste un poco de atención a tu cuerpo. Una vez en bragas, te pones un enorme albornoz blanco y vuelves al *loft*.

Sven ha puesto música y al hacerlo ha manchado su iPod. También ha colocado una tela en el suelo justo en el centro de la sala. Aguardas en la puerta del baño y él, con una actitud muy profesional, te explica que debes colocarte sobre la tela.

Obedeces sus instrucciones agarrándote a la toalla con una mano mientras te preguntas en qué te habrás metido.

Sven intenta apartarse el flequillo ondulado de la cara, pero como no lo consigue se lo aparta con un dedo y se deja una mancha en la cara. Sonríes al ver lo ridículo que se ha puesto con esa expresión tan seria manchada de blanco. Eso te relaja un poco.

—¿Y ahora qué? —preguntas.

Sven coge un trozo de muselina y empieza a cortarla en tiras. Cada vez que tira de la tela, los músculos de sus brazos se contraen del esfuerzo. Las pocas dudas que te quedaban se desvanecen cuando imaginas esas hábiles manos sobre tu cuerpo.

—Primero debes untarte el cuerpo con esto —dice Sven ofreciéndote un frasco de vaselina—. Así no se te pegará la pasta.

Te das media vuelta, separas un poco las piernas y dejas caer el albornoz al suelo.

—¿Me la untas tú por la espalda? No me quiero dejar huecos —le pides. En la habitación reina un silencio absoluto, a excepción de la música y los latidos de tu corazón, que esperas estar oyendo sólo tú. Sven se acerca a ti y notas su cálido aliento en los hombros.

—Puede que esté un poco fría —dice pegándote la boca a la oreja. Cierras los ojos para disfrutar de su acento. Entonces sientes el contacto de sus manos sobre tu cuerpo deslizando la vaselina por tu piel. Tiene unas manos firmes y delicadas a un mismo tiempo, a pesar de los callos y las cicatrices de sus dedos.

—Ya está —dice poco después.

Te das media vuelta despacio hasta quedar frente a él.

—No del todo —le corriges.

Sven hunde los dedos en el tarro de vaselina y dibuja una franja por encima de tu pecho y otra en el medio, justo entre tus pechos. Mientras lo hace ves la inconfundible necesidad que le oscurece la mirada. Luego te cubre el estómago de vaselina y acaba deslizándola por encima de tus pechos paseando la palma de la mano por tus pezones.

Cuando te ha cubierto del todo coge un trozo de muselina, lo hunde en la pasta blanca y te forra la parte delantera en forma de zigzag aplastando cada pedazo de tela con la base de la mano. Tú levantas los brazos para darle mejor acceso a tus costados. Tiene que trabajar deprisa para que la pasta no se endurezca antes de tiempo. Cuando acaba con tu parte frontal, se coloca detrás de ti y repite la maniobra con tu espalda.

La pasta se empieza a calentar y se endurece sobre tu piel. El sudor salpica la frente de Sven y se quita la camiseta. Su pelo rubio cae en cascada sobre su suave piel de un modo irresistible: si pudieras moverte serías incapaz de resistirte y te lanzarías sin pensar a acariciarle el pecho. Cuando pasea los dedos por encima de la muselina endurecida la tensión sexual vibra entre vosotros.

—Ya está —afirma dando un paso atrás cuando te tiene completamente cubierta de trozos de muselina empapados de yeso.

Recoge un poco y se lava las manos mientras notas cómo se va secando la pasta. Cuando está convencido de que ya está completamente seca, te despega con cuidado la mitad delantera y luego la de la espalda. Las deja sobre la tela para que acaben de secarse del todo. Ahora que ya no tienes la protección del molde pegado al cuerpo te sientes desnuda y te cubres los pechos con los brazos.

—¿Y ahora qué? —le preguntas con un hilo de voz.

Te mueres de ganas de que te toque, y no porque quiera utilizarte para hacer una obra de arte ni porque quiera salvarte de la trayectoria de una bicicleta, sino porque quiera hacerlo.

—Si quieres te puedes duchar —te sugiere Sven con tono vacilante.

—Tienes un poco de… —le comentas tocándole la mancha de yeso de la frente.

—También podría ducharme contigo —dice.

—Podrías.

Y entonces Sven te coge en brazos y te besa con la pasión contenida de todo el día. Te lleva hasta el baño y tú te ríes al darte cuenta de que ha estado a punto de perder el equilibrio. Te suelta un momento para desabrocharse y bajarse la cremallera de los vaqueros llenos de yeso, y tú te quitas las bragas y te metes en la ducha. Sven te sigue y casi tropieza con los vaqueros desesperado por quitárselos.

Cuando el agua caliente os empieza a resbalar por el cuerpo, coges una esponja y empiezas a quitarte los pegotes de vaselina y yeso. Él te quita la esponja y te va limpiando, empieza por la parte superior de tu pecho y va bajando desde ahí. Echas la cabeza hacia atrás; estás disfrutando mucho de la sensación de la esponja rascándote la piel, áspera como la lengua de un gato.

Cuando acaba de limpiarte la parte delantera y la espalda, te das la vuelta, coges la esponja y le relevas para limpiarle el pecho y los brazos, las piernas y por último los muslos. Entonces le pasas la esponja por la entrepierna, empezando por sus testículos y avanzando por su polla. Estrechas su rigidez con la mano que te queda libre y él se apoya contra la pared de la ducha y ruge mientras tú deslizas la mano y la esponja de arriba abajo.

Te pones de rodillas y te metes su polla en la boca para chupársela con fuerza sin dejar de acariciársela. Entonces Sven tira de ti y dice algo en holandés antes de cogerte la cara por la barbilla. Te vuelve a coger en brazos y le rodeas la cintura con las piernas. Él cierra los grifos, te saca de la ducha y te deja sobre el lavamanos. El baño está tan lleno de vaho que le ves un poco borroso, y sin embargo sabes que es real, de carne y hueso, y duro, muy duro.

Atacas su cuello con la boca y le chupas y le muerdes mientras empieza a rebuscar algo en el armario. Le apremias, quieres que abra el preservativo lo más rápido posible. Luego le ayudas a deslizarse el aro de látex por la polla palpitante. Cuando acerca la punta a tu abertura, tú separas las piernas hasta que encuentra la entrada de tu coño. Y por fin se desliza en tu interior. Y después de tanta provocación y de las aventuras en solitario del día, sentir cómo te dilata y te llena de esa forma es una maravilla.

Mientras te folla tú emites unos sonidos que están a caballo entre el rugido y el ronroneo. Sven va alternando la profundidad de cada embestida de forma que tú no sabes cómo te va a penetrar: ignoras si te la va a meter hasta el fondo o si te va a provocar con una lenta y superficial maniobra. Ya te has dado cuenta de que se está conteniendo porque quiere disfrutar de la experiencia y hacerla durar.

Pero tú quieres, no, necesitas correrte ya, por lo que balanceas las caderas hacia delante para animarlo a adoptar un ritmo más rápido. Entonces empieza a embestirte con un ritmo más insistente. Te agarras a él, le tiras del pelo y notas cómo se le tensan todos los músculos de la espalda bajo tus dedos. Cuando te das cuenta de que te estás acercando al orgasmo le susurras «espera» al oído. Por un momento te aterroriza pensar que pueda dejar de hacer lo que está haciendo, pero Sven desliza el pulgar sobre tu clítoris y te corres con tanta fuerza que la habitación empieza a dar vueltas.

Dejas caer la cabeza hacia atrás contra el espejo del baño. Tu coño se contrae alrededor de la sólida polla de Sven, que sigue embistiéndote mientras tú presionas las pantorrillas contra su firme y perfecto culo.

Echa la cabeza hacia atrás y llega su turno de dejarse arrastrar por el orgasmo. Se le tensan todos los músculos del cuello al gritar algo en holandés que debe ser su equivalente del «oh, Dios, oh, Dios, oh, Dios», o quizá sea «oh, joder, oh, joder, oh, joder». En cualquier caso, cuando todo su cuerpo se contrae una y otra vez, libera un montón de tensión. Entonces deja caer todo el peso de su cuerpo sobre ti, entierra la cabeza junto a tu cuello y notas el palpitar de su polla todavía dentro de ti. Desenlazas los tobillos de su espalda y te apoyas contra el espejo mientras los dos seguís respirando con pesadez.

Le paseas los dedos por la espalda y notas las ondulaciones de su columna vertebral; entonces piensas que quizá deberías alargar el viaje. A fin de cuentas, aún te queda mucho que ver en Ámsterdam. Y lo que es aún más importante: probablemente deberías quedarte por aquí para ver cómo acaba tu busto.

FINAL

Quieres ver la parte sexy de Ámsterdam

—¿Estás segura de que quieres ver la parte más sexy de Ámsterdam? —te pregunta Sven.

—Allí donde fueres… —contestas—. ¿Qué tal si vamos a ver un espectáculo de sexo en directo? ¡Me han dicho que son salvajes!

—¿Estás segura? —insiste.

—¿Por qué no? Estoy segura de que no hay nada más sexy en Ámsterdam que eso.

—Si tú lo dices… —dice—. Última oportunidad. También podemos ir a un museo o a algún sitio así.

 Si prefieres ir a un museo que a un espectáculo de sexo en vivo, ve a la página 70

 Si quieres ir a un espectáculo de sexo en directo, ve a la página 89

Has elegido ver un espectáculo de sexo en directo

Poco después de acomodaros en vuestros asientos, una pareja sube al escenario cogidos de la mano. El hombre es un poco más bajo que su pareja y tiene el cuerpo musculoso y bien formado. Ella es alta y delgada. Lleva una falda, blusa y tacones altos. Un conjunto que podría ser el uniforme de una secretaria jurídica o de una profesora, pero que de algún modo consigue resultar sugerente.

La pareja se acerca a la cama redonda que hay en el escenario. Bajan las luces y suben la música, y el hombre empieza a besar a la mujer. Luego la desnuda con rapidez sin hallar más que las habituales trabas con el cierre del sujetador o la hebilla de su propio cinturón, y en cuestión de segundos los dos están completamente desnudos. Todo ocurre tan rápido que da la sensación de que sus ropas se hayan fundido, y entonces empiezan a practicar sexo, sin más. No estás muy segura del motivo de tu sorpresa, tampoco es que estuvieras esperando que primero la invitara a cenar y a ver una película, pero es demasiado repentino. Y muy poco sexy.

Pensaste que mirar sería erótico, pero la escena te resulta muy fría. Un grupo de hombres borrachos que celebran una despedida de soltero empiezan a vitorear desde la tercera fila y sientes náuseas.

La pareja del escenario empieza a copular en la postura del misionero y, poco después, adoptan una nueva postura que van cambiando cada pocos minutos, como si fuera una danza coreografiada sin rastro de la pasión y el apetito que esperabas ver. Cuando el hombre le da la vuelta a la chica para follársela al estilo perrito y la cama gira hacia el otro lado alejándose de ti, reprimes un bostezo. Sven se da cuenta y tú le contestas esbozando una mueca.

—Vámonos —dice sacándote del teatro y pasando junto a un hombre con una gabardina encorvado en la fila de atrás.

Apartas la vista, no has pagado para ver eso.

Os quedáis en la calle a algunos metros de la entrada del club y observáis el ir y venir de gente a vuestro alrededor. La calle adoquinada está flanqueada por escaparates en los que mujeres muy diversas con todas las prendas de lencería imaginables, posan tratando de atraer a los paseantes. Un hombre se asoma a una puerta que hay junto a un escaparate donde aguarda una mujer especialmente pechugona; ella cierra la cortina inmediatamente para poder recibirlo en privado. Cinco minutos después se marchará un poco más ligero, tanto física como económicamente. Es un intercambio fascinante, pero es un negocio, es casi tan mecánico y antilibidinoso como el espectáculo que acabas de ver.

—Lo siento —dices—, ha sido espantoso. No ha tenido nada que ver con lo que imaginaba.

—¿Y qué esperabas? —pregunta.

—Pensé que sería sexy o algo así, pero eso no ha sido para nada erótico. Ha sido como ver una pareja de robots. Supongo que hay fantasías que es mejor no realizar.

—¿Qué quieres hacer ahora? —te pregunta cogiéndote de las manos.

—No sé. Cuéntame una de tus fantasías. ¿Qué te parece si realizamos una de ellas?

Te mira a los ojos.

—¿Estás segura?

Te pones derecha.

—¿Por qué no? ¿Tan salvaje es?

Te mira fijamente y sonríe.

—Está bien —dice—. ¿Qué te parece esto?

 Si su fantasía es un poco salvaje, ve a la página 92

 Si su fantasía te sorprende un poco, ve a la página 97

Su fantasía es un poco salvaje

El pañuelo de seda se ciñe a tu muñeca cuando Sven te ata el primer brazo al poste de la cama y luego el otro. Te ha vendado los ojos y no ves nada, pero eso parece haber agudizado tus demás sentidos. Se retira un momento y entonces sientes el calor de su mano sobre tu tobillo, de nuevo el contacto de la seda sobre tu piel, y el tirón del pañuelo al atarlo a los pies de la cama. Sientes una breve punzada de alarma cuando te ata la otra pierna a la cama y eres consciente de que estás completamente a su merced.

Pero entonces te besa con fuerza y pasión. Enreda la lengua con la tuya y la lame haciendo desaparecer tu ansiedad, y aunque no hace mucho que le conoces, te das cuenta de dos cosas: confías en este hombre y quieres que te folle.

Se desliza por tu boca, sigue por tu cuello y acaba posando los labios sobre tu oreja para coger tu tierno lóbulo con los dientes y lamerlo con la lengua. Tienes muchas ganas de acariciarlo y de enterrar los dedos en su pelo, pero estando atada de pies y manos no puedes hacer mucho más que devolver sus besos y morder, chupar y lamer cualquier parte de su cuerpo que te acerque a la boca. Eres muy consciente de su sabor y su fragancia: es cálido, salado, y almizclado, todo regado con un toque de ese aguarrás que tan bien empiezas a conocer.

Su boca se desliza desde tu oreja hasta la curva inferior de tu mandíbula y luego sigue resbalando por tu pecho. Se te acelera el corazón. Luego vuelve a besarte y, mientras lo hace, puedes sentir como sus dedos te desabrochan la blusa y separan la tela. Entonces se separa de ti rompiendo el contacto y sientes su mirada mientras te contoneas debajo de él.

Sus dedos te vuelven a explorar una vez más, ahora un poco más abajo, te acaricia la tripa y los pasa por encima de tu sexo.

—Tienes las bragas muy húmedas —ruge, y jadeas cuando te las empieza a bajar por los muslos. Se oye un ruido cuando rasga la delicada tela para liberarla de tus piernas y escuchas cómo aterrizan en el suelo. Luego percibes los sonidos metálicos de una hebilla seguidos de una cremallera al bajarse y los golpes sordos del resto de su ropa al caer al suelo.

Cuando se coloca sobre ti vuelves a sentir el peso de su cuerpo y su dura polla anidando por entre la longitud de tu coño empapado.

—¿Qué quieres que te haga? —murmura con un hilo de voz sorprendentemente cerca de tu oreja. Pensabas que estaba derecho, pero es evidente que está inclinado sobre ti.

—Quiero que me folles —susurras con debilidad.

—¿Qué dices? ¡No te oigo!

—¡Que me folles! —le ordenas.

Se oye el desgarre del plástico y el aluminio y supones que debe ser el paquete del preservativo, y entonces se hace una larga pausa. Te retuerces convencida de que Sven está alargando el momento. Te encantaría tener una mano libre para poder agarrarle la polla, sentir su sólida rigidez, y metértela sin más preámbulos.

Al poco sientes como su glande presiona las puertas de tu sexo por fin, y jadeas con sorpresa y placer cuando su solidez se interna en tu interior y te dilata hasta el límite. La saca en seguida, casi inmediatamente, aguarda un segundo, y luego te vuelve a penetrar hasta el fondo. Entonces se queda ahí, sin moverse, llenándote por completo, hasta el último rincón.

Sientes cómo se retira, pero esta vez sólo parcialmente, y luego te la vuelve a meter del todo. Jadeas al sentir la intensidad de sus embestidas: si no fueran tan placenteras estás segura de que te estaría haciendo daño.

Se vuelve a retirar hasta la mitad y espera un par de segundos. Tú agitas la cabeza de un lado a otro tratando de adivinar lo que hará a continuación. Te mueres de ganas de que adopte un ritmo más seguido, y arqueas la espalda todo lo que te permiten las ligaduras.

—¿Quieres que vaya más rápido? —te pregunta.

Asientes con impaciencia.

—Dilo —te ordena.

—Hazlo más rápido —le suplicas.

—Todavía no —te provoca, insertándote sólo la punta de la polla. Tú mueves las caderas tratando de capturarle la verga, de coaccionarlo para que se interne un poco más, pero él escapa de ti retirándose un poco y decides quedarte quieta esperando que te la vuelva a ofrecer. Estás frenética.

—Por favor… —susurras.

Y entonces gritas con suavidad al sentir el latigazo de placer que te provoca notar cómo te la mete de nuevo hasta el fondo.

Y por fin empieza a follarte, primero adoptando un seductor ritmo lento, y luego acelerando cada vez más. Oyes una voz que suplica más y apenas te das cuenta de que es la tuya. Al poco, justo cuando ya no puedes soportar tanta provocación, Sven adopta la combinación perfecta mezclando largas y pacientes embestidas. Un intenso orgasmo se empieza a formar en tu pelvis y acaba vibrando por todo tu cuerpo mientras tu cuerpo tira de las ataduras.

En la quietud que prosigue, Sven se vuelve a poner de rodillas entre tus piernas y sientes su dura polla contra tu muslo. Un minuto después unas manos aflojan los nudos de tus pies y los de tus muñecas, y te llevas la mano a la cara para quitarte la venda.

—¡No te la quites! —te pide Sven tumbándote boca abajo. Te sientes muy aliviada de poder moverte y te pones de rodillas para ofrecerle tu coño.

Se pone detrás de ti en un abrir y cerrar de ojos, y desliza la polla por entre los húmedos labios de tu coño de forma que el glande roza tu hinchado y palpitante clítoris. Te agarra de las caderas y te penetra. En esta postura la sensación es completamente diferente porque de esta forma alcanza tu punto G con cada embestida. Como ya te has corrido, ahora se mueve buscando su propio placer y tú empujas hacia atrás y te contraes con cada una de sus embestidas ansiosa por llevarle al límite. Esto sí que es follar, follar con fuerza, y después de tanta provocación te sienta de maravilla.

Sven te estruja los pechos cuando se corre y tú cierras las piernas y le aprietas la polla para potenciar su orgasmo, pero cuando contraes el coño te sorprende un segundo orgasmo. Presionas las nalgas contra él y te estimulas el clítoris con los dedos corriéndote de nuevo justo después de él. Tu coño no deja de contraerse y dilatarse alrededor de su polla. Notas el contacto de una gota de sudor aterrizando en tu espalda y los dos os dejáis caer en la cama jadeando.

Te quitas la venda de la cara y parpadeas bajo la tenue luz de la habitación. Las réplicas de tu orgasmo te recorren el cuerpo y piensas que las vistas y los sonidos de Ámsterdam son maravillosos.

Su fantasía es un poco sorprendente

—Oh, sí, nena, sí, nena… justo ahí… —jadea Sven—. Un poco más a la izquierda, así, más, más, no te pares, qué bien… —El placer le tiñe la voz—. Más fuerte, más fuerte… ahora más despacio, despacio.

—Silencio —le dices—. No oigo nada. —Se queda callado y tú cambias de postura sobre la cama acurrucándote cómodamente entre los almohadones mientras sigues rascándole la espalda con las uñas—. No me puedo creer que tu fantasía más salvaje sea tumbarte en la cama a ver *Project Runaway* mientras te rasco la espalda.

—Sólo es la primera parte de mi fantasía —dice.

—¿Cuál es la segunda parte? —preguntas mientras Heidi Klum afirma con seriedad: «En el mundo de la moda, puedes estar dentro y fuera en un abrir y cerrar de ojos».

—*Auf Wiedersehen*, Heidi —dice Sven apagando el televisor.

Se da media vuelta para besarte y te acaricia el cuerpo con una mano mientras posa la otra sobre uno de tus pechos.

—Ajá —exclamas sonriéndole—. Me parece que ahora somos nosotros los que vamos a experimentar eso de estar dentro y fuera.

FINAL

Has decidido irte a Venecia a conocer al Conde

Sales del aeropuerto Marco Polo y te recibe una suave noche italiana. La perspectiva de conocer a Claudio te ha hecho un nudo en el estómago. Debes admitir que te duele un poco que no se haya ofrecido a venir a recogerte, pero tú has hecho los deberes, y como ya es de noche, decides coger un taxi acuático; te da igual lo caro que sea.

Cuando por fin llegas al muelle odias tu maleta: incluso a pesar de tener ruedas, tienes la sensación de que vas arrastrando una cría de elefante. Pero querías estar preparada para cualquier situación y cogiste todos tus vestidos de fiesta y una tonelada de zapatos de tacón. Te tambaleas hasta el primer embarcadero que ves y le das tu dirección al corpulento conductor de uno de los taxis acuáticos. El tipo agarra la cría de elefante como el que no quiere la cosa y tú tragas saliva cuando la pasa por encima del lateral del barco. No ves el agua, lo único que perciben tus ojos es una espesa zona de negrura, pero oyes como las pequeñas ondas chocan contra la pared del muelle percibiendo su característico olor pantanoso.

La maleta aterriza en el barco en perfectas condiciones: tu turno. En seguida descubres que no hay ninguna forma elegante de subirse a un barco que se balancea sobre el agua, por lo que decides dar un saltito y te lanzas. El conductor pone en marcha el motor y se adentra en la noche. Muy pronto, los puntitos de luz que avistabas en el horizonte se convierten en un racimo de torres que proyectan charcos de oro en el agua. ¡Por fin has llegado a Venecia! A pesar del cansancio y los nervios, cuando te acercas a la isla no puedes evitar sentirte emocionada. Los edificios aparecen en seguida y tu barco se adentra en la ciudad como una aguja deslizándose muy despacio por un canal. Pasas por debajo de puentes flotantes y escaleras por las que trepa el mar hasta convertirse en piedra, portezuelas misteriosas y muros sombríos. Al final emerges en un canal más ancho iluminado por delicadas luces.

—Este es el Gran Canal —dice el conductor esquivando una góndola, un racimo de lanchas motoras y un autobús acuático con la habilidad de tantos años de práctica.

Volvéis a girar y el taxi acuático se interna por otro canal secreto. A los pocos metros, reduce la marcha y se detiene junto a unos escalones. Se apresura a lanzar una cuerda sobre un amarre. Deja tu maleta sobre la angosta plataforma que hay entre los edificios y el agua, y espera a que tú hagas lo mismo.

—Mmmm, ¿este es el Palazzo Grania? —le preguntas con nerviosismo.

Él asiente y hace un gesto en dirección a la fachada que se alza sobre ti. Vaaaaale. Le pagas una indecente cantidad de dinero, y en cuestión de segundos desenrolla la cuerda y su barco desaparece por el canal. ¿Y ahora qué?

Observas las paredes tratando de encontrar algún cartel o un número, pero no hay suerte. Todo esto es muy bonito, pero ¿por qué nadie te cuenta que lo mejor que puedes llevar en Venecia cuando se hace de noche es una buena linterna?

Entonces ves que la plataforma zigzaguea alrededor del edificio y te aventuras por ella. Conduce a un antiguo portón de madera, y junto a él encuentras lo que parece un timbre. ¡Por fin! Lo presionas con los nervios de punta.

Se hace una larga pausa hasta que oyes una voz italiana que te habla a través de un altavoz. Te sobresaltas y balbuceas:

—Hola, soy yo. Hola, hola, Claudio, ¿eres tú?

La puerta se abre dándote acceso a un oscuro jardín. Entras, y al otro lado ves una silueta que gira una llave. ¿Por fin vas a conocer a Claudio en persona?

Pero el hombre que sale a recibirte es un completo desconocido, un tipo enorme de rostro impertérrito con los ojos hundidos. Parece sorprendido de verte.

—Hola —dices casi sin aliento—. He venido a ver a Claudio Lazzari.

Un momento, ¿no deberías decir su título?

—Conde, quiero decir *Conte*, Claudio Lazzari, *per favore* —dices con más seguridad—. Me está esperando.

El hombre abre la puerta y te hace señales para que pases, pero no hace ademán de cogerte la maleta. Como te sientes incapaz de subirla por las escaleras, decides dejarla en el jardín y subir sin ella. Una vez dentro te encuentras con una escalinata balaustrada de mármol y te asalta una primera impresión de fría majestuosidad.

—Un momento —dice tu guía desapareciendo por una puerta. Se hace otra pausa agonizantemente larga y entonces oyes pasos en el piso de arriba.

Y esta vez sí que es Claudio quien aparece. Vaya, es más impresionante en persona que en las fotografías. No es tan alto como te lo habías imaginado, pero su pelo y sus ojos oscuros son inconfundibles, igual que el hoyuelo que tiene en la barbilla. Baja las escaleras a toda prisa: los anchos hombros que se esconden bajo su camisa blanca se van estrechando hasta una cadera de bailarín o de atleta, y lleva las piernas enfundadas en unos pantalones de un traje hecho a medida.

Le recibes con una enorme sonrisa, pero él no te la devuelve y sientes una punzada de inquietud. Una punzada que se convierte en absoluto terror al escuchar sus palabras:

—Buenas noches, ¿en qué puedo ayudarla?

—¡Claudio! —tartamudeas—. Soy yo. La «Chica Relámpago». ¿Has olvidado que llegaba esta noche?

Se te queda mirando con el rostro completamente en blanco. O es un actor de primera o realmente no tiene ni idea de quién eres.

—Lo lamento, pero me parece que no nos conocemos.

Te vienes abajo. No habías imaginado esta situación ni en tus peores pesadillas.

—Bueno, en realidad, no, pero llevamos semanas chateando…

—¿Chateando? Me temo que se trata de algún error.

—Sí, hombre, en *lovematch.com*.

Frunce el ceño.

—No la entiendo. ¿Qué es eso de *lovematch*?

Es tarde, llevas muchas horas de viaje a la espalda, has recorrido un largo camino para ver a un hombre que te suplicó conocerte, y ahora, o bien se está divirtiendo con un juego muy desagradable, o te has colado en algún estrambótico universo paralelo.

—Claudio, por favor, soy yo quien no comprende nada. Nos conocimos en la red y hemos estado chateando, además de... bueno, de hacer otras cosas. —Te ruborizas al recordar algunas de esas cosas—. Y de eso ya hace bastante tiempo. Fuiste tú quien me invitó a venir a conocerte y...

Su rostro sigue inmutable y a estas alturas tu confusión empieza a dividirse en oleadas de furia y vergüenza. Deberías haber imaginado que eso de que un atractivo conde italiano te cortejara y te invitara a su *palazzo* del siglo XVII era demasiado bueno para ser verdad.

Claudio se acerca un poco más a ti.

—Tiene que haber algún malentendido. No tengo ni idea de quien eres y nunca he oído hablar de *lovematch*. ¿Es una web de contactos?

Asientes enmudecida por la vergüenza.

—¿Y te has subido a un avión y has venido a conocerme sin más? Dios mío, ¿es que nunca has oído hablar del fraude? ¿Cómo lo llamáis vosotros? ¿Estafadores? ¡Cualquiera podría estar utilizando mi fotografía!

La ira desplaza la vergüenza.

—¡Tú me pediste que vinieras! ¿Cómo crees que conseguí esta dirección? Y no soy idiota, te investigué antes. Sales por todas partes, tanto en Google como en Wikipedia, y hay fotografías, miles, en Cannes, Mónaco, en el lago di Como, incluso en este *palazzo*, tu hogar ancestral. Todo encajaba con las cosas que me habías contado, y algunas de esas cosas eran bastante personales.

Entonces se te ocurre algo.

—Un momento, ¿no tenías un enorme gato atigrado cuando eras niño? Le pusiste *Romeo* porque siempre maullaba bajo el balcón cuando quería entrar en casa.

Claudio se te queda mirando con atención.

—¿*Romeo*? Sí, sí que lo tenía. ¿Cómo puedes saber eso?

—¡¿Lo ves?! —gritas con aire reivindicativo—. ¡Me lo dijiste tú! A ningún estafador se le ocurriría nunca una cosa así. Por eso sabía que eras real, y también me convenció que no hicieras faltas de ortografía. Además, eres el mismo hombre de las fotografías. ¡A mí me parece que eres tú quien me toma el pelo!

Claudio se te queda mirando un buen rato. Y entonces pregunta:

—¿Qué nombre utilizaste para buscarme por internet?

—Claudio Lazzari, ¿cuál si no? ¡No puedes negar que eres tú!

Entonces parece caer en algo y aprieta los labios.

—Ah, pero yo no soy el único Claudio Lazzari. Se me ha ocurrido algo. ¿Podrías esperar aquí un minuto?

Pero antes de que se marche aparece otra persona en lo alto de la escalera, es un anciano con las cejas muy pobladas y un bastón. Se asoma por la barandilla y esboza una sonrisa lobuna.

—¡*Ciao bella!* Bienvenida a Venecia. Vaya, eres preciosa. Eres más guapa que en las fotos.

Tu sensación de haber caído en un universo paralelo se acentúa. ¿Es que todo el mundo se ha vuelto loco? Claudio sube las escaleras y se enfrenta al anciano soltando una ráfaga de rápido italiano enardecido. Les miras mientras discuten. El anciano se encoge de hombros y gesticula con los brazos, y el joven está visiblemente enfadado.

Al final, Claudio se vuelve hacia ti.

—Me parece que ya se ha resuelto el misterio. Te presento a mi padre, también se llama Claudio Lazzari. Te debo una sincera disculpa. Me temo que te ha estado tomando el pelo.

—¡Yo no le he tomado el pelo! —grita Claudio *senior*, y ahora que sabes en qué fijarte, el parecido es inconfundible: tienen la misma nariz aguileña y hoyuelos en la barbilla, incluso hacen los mismos gestos al hablar. Pero a pesar de que el padre de Claudio conserva la mayor parte de su pelo (blanco como la nieve, eso sí), sus esculpidas facciones y su voluptuosa boca han desaparecido bajo una capa de pliegues y arrugas, y sus hombros, que en su día debieron ser tan anchos como los de su hijo, están caídos. Por un momento te preguntas cómo se sentirá Claudio viendo a su padre y sabiendo exactamente el aspecto que tendrá dentro de cuarenta años, pero tienes mayores preocupaciones.

El anciano abre los brazos con actitud suplicante.

—*Bella*, entre nosotros hay algo especial, ¿verdad? Me alegro mucho de verte. Me habría gustado ir a recogerte al aeropuerto, pero la artritis me ha estado dando un poco de guerra.

—¡Me has liado! —Cuando ves la confundida expresión de su ojos, añades—: Significa engañar deliberadamente a alguien, en especial en las páginas de citas, cuando alguien crea una relación falsa. Es una bajeza.

Claudio *senior* adopta una expresión de inocencia.

—¿A qué te refieres? Hemos estado conversando con sinceridad, hemos compartido secretos y deseos, y una cosa llevó a la otra.

Se te escapa un jadeo.

—¡Pero si me dijiste que tenías treinta y seis años!

—Bueno, supongo que ya sabrás que todo el mundo exagera un poco en estas páginas, ¿no? —El viejo verde te mira con lascivia—. La verdad es que tú también pareces pesar algunos kilos más de los que dijiste que pesabas, pero no te preocupes, a mi me gusta —dijo dibujando en el aire un enorme reloj de arena con las manos.

Claudio se debate entre la incredulidad y la ira.

—¿Esto es verdad, papá? ¡Utilizaste mis fotografías en una página de contactos?

—¿Y qué? —Se vuelve a encoger de hombros—. Cuando era joven era clavado a ti, y sigo teniendo el corazón y las pasiones de mi antiguo yo —dice volviéndose hacia ti—. Y pensar que nos compenetrábamos tan bien… ¿Tanto te horroriza mi imagen? ¿No crees que lo que importa está en el interior?

Te lanza una mirada trágica.

Por un segundo te pilla por sorpresa, pero la furia en seguida se vuelve a apoderar de ti.

—Un momento, tú me engañaste para que hiciera un viaje muy largo y para que viniera a conocer a un hombre que no esperaba, ¿y ahora pretendes hacerme sentir culpable? Eres un manipulador y un…

Te fallan las palabras y Claudio aprovecha para intervenir.

—Papá, te has comportado de una forma vergonzosa, no importa que la muchacha haya sido un poco ingenua. Y ahora —prosigue mientras tú lo fulminas con la mirada—, creo que deberíamos mostrarnos hospitalarios con nuestra visitante y lo organicemos todo para que pueda estar lo más cómoda posible. ¿Volvemos al salón con el resto de la familia?

Aún estás furiosa, pero decides seguir a los dos hombres hasta una enorme estancia decorada con pinturas al óleo y muebles antiguos. Al entrar te das cuenta de que las ventanas tienen vistas al Gran Canal, pero en ese momento te preocupa más el grupo de desconocidos que te mira con aire desconcertado.

Claudio hace las presentaciones. El hombre silencioso que te ha abierto la puerta de la casa está llenando las copas y das por hecho que debe ser la versión italiana del mayordomo. Primero le das la mano a una joven, con mucho estilo, que te presentan como Adriana, una prima que también hace las veces de asistente personal de Claudio.

La persona que más te llama la atención es el joven que aguarda de pie junto a la chimenea labrada. Tiene la misma mata de espeso pelo negro que Claudio y se le caracolea de idéntica forma a la altura de la nuca, y una boca tan bonita como la suya, pero su colorido es un poco distinto: él tiene los ojos grises en lugar de marrones, y la nariz un poco respingona. Tiene aspecto de creer que el mundo es una eterna fuente de diversión.

—Este es Van, abreviatura de Giovanni, mi hermanastro —dice Claudio.

—¡Oye, no hace falta que pongas tanto énfasis en eso del hermanastro! Un placer conocerte.

Sonríe subiendo el nivel de galantería y cogiéndote la mano entre las suyas. No te pasa por alto que no deja de recorrerte de arriba abajo con los ojos.

Claudio y su padre hablan un inglés excelente, pero se les nota el acento. Sin embargo, Van parece inglés, y te animas a comentárselo.

—Mi madre —la tercera esposa de papá—, es inglesa. Todos fuimos a universidades inglesas, pero mi madre insistió en que fuera a una escuela inglesa desde pequeño.

—Debo advertirte que Van ha salido a nuestro padre en cuanto a las mujeres se refiere —dice Claudio frotándose el puente de la nariz.

—¡Eso me ha dolido, hermano! —Van finge un puchero mirando a Claudio y luego se dirige a ti—. ¿Te apetece tomar algo? Tienes aspecto de necesitar una copa.

Asientes agradecida mientras te ofrece una copa aflautada con una bebida aromática y fresca.

—Es Prosecco, de nuestros propios viñedos —explica.

Le das un sorbo y en seguida te sientes más animada al sentir el hormigueo de las fragantes burbujas en la nariz.

—¿Viñedos en Venecia? —preguntas, y Van se ríe.

—No, están en el interior, como a una hora en coche hacia el norte. La familia tiene un pequeño viñedo en la ruta del Prosecco. Y dime, ¿qué hace una encantadora chica como tú en un sitio como este?

Se hace un silencio incómodo. Claudio interviene:

—Nuestra nueva amiga ha venido de vacaciones, pero ha habido un malentendido con el hotel. —Se vuelve hacia ti—. Puedes quedarte aquí.

—¡De ninguna manera!

—¿Por qué no? —pregunta Van—. Hay muchísimas habitaciones. Y a papá le encantan las visitas.

—Así es, sí, en especial cuando son *molto belle* —comenta Lazzari *senior* zalamero.

—Sería un honor que aceptaras ser nuestra invitada y cenaras con nosotros —dice Claudio—. Pero si te incomoda la idea te encontraremos un hotel. La decisión es toda tuya.

—Quédate, por favor —suplica Van.

Tú tienes dudas. No deberías dejar la oportunidad de pasar la noche en un espectacular edificio histórico como ese. Entonces miras a su padre, que no te quita ojo de encima. ¿De verdad quieres pasarte toda la noche aguantando a ese viejo verde por muy espectacular que sea el *palazzo*?

 Si decides quedarte en el palazzo, *ve a la página 109*

 Si prefieres aceptar el ofrecimiento de Claudio y pasar la noche en un hotel, *ve a la página 126*

Has decidido quedarte en el palazzo

—Si estás seguro de que no es mucho inconveniente creo que me quedaré —le dices a Claudio.

—Excelente —exclama, y entonces le comenta algo en italiano al silencioso mayordomo—. Van a llevar tu equipaje a la habitación.

—¿Hay algún sitio donde pueda refrescarme un poco?

Adriana se pone en pie sonriendo, pero Van se le adelanta.

—Te acompañaré a tu habitación —dice—. ¡Por aquí!

Flexiona el brazo para que te puedas agarrar a él, y tanto Claudio como su padre le lanzan sendas miradas. Te conduce hasta otro tramo de escaleras y recorréis un pasillo con una iluminación tenue.

—Me alegro mucho de que hayas decidido quedarte —dice—. No nos vendrá mal un poco de animación. —Abre una puerta al final del pasillo haciendo un floreo con la mano. Tu boca forma una silenciosa «O» cuando ves la cama de cuatro postes cubierta por un cubrecama de terciopelo violeta. Las paredes rosadas están decoradas con acuarelas de marcos dorados y espejos, y al otro lado de una puerta entreabierta ves un baño de mármol rosa.

—Te aseguro que te divertirás —dice Van esbozando otra sonrisa encantadora. Entonces le suena el teléfono móvil—. Vaya, tengo que contestar. ¿Nos vemos abajo?

En cuanto se marcha te dejas caer sobre la cama y miras a tu alrededor repentinamente asaltada por la duda. Quizá deberías haberte ido a un hotel. Estás muy lejos de tu zona de confort y en cierto modo te vas a quedar allí con falsos pretextos. Te sobresaltas al escuchar un carraspeo y te vuelves para ver a Don Silencioso entrando en la habitación con tu bebé elefante.

—Su maleta, *signorina* —dice.

—*Grazie*. ¿Hablas inglés?

—Claro. ¿Puedo hacer algo por usted?

Niegas con la cabeza y él te mira con más detenimiento.

—¿Tiene algún problema?

Suspiras.

—En cierto sentido. Para serle sincera, no sé si estoy haciendo lo correcto al quedarme a pasar la noche aquí.

—Venga —dice, acercándose a la ventana y abriéndola con un floreo. Te acercas a él y te quedas maravillada ante las espectaculares vistas nocturnas del torreón de una iglesia flanqueada por dos *palazzos*, uno con los ladrillos manchados por siglos de agua y el otro adornado con brillantes mosaicos. Se oye el tañido de las campanas y el murmullo del agua sofoca el sonido.

—Este es el motivo por el que está aquí, ¿no? —dice.

—Jamás había visto una ciudad tan bonita como esta.

—Comprendo que se sienta insegura —dice en un susurro ligeramente ronco que nada tiene que ver con la dureza de su expresión.

—¿Ah sí?

Gesticula con el brazo señalando la habitación.

—Cuando uno no nace rodeado de todo esto, el exceso puede resultar desconcertante. Pero estoy seguro de que se acostumbrará.

Compartís una breve sonrisa.

—Ahora será mejor que me vaya a acabar de preparar la cena.

—¿Tú eres el chef?

—Yo soy muchas cosas, *signorina* —dice—. Y dese prisa, sus anfitriones quizá la esperen, pero la comida no lo hará.

Y dicho esto sale de la habitación y tú entras en el baño a toda prisa para lavarte la cara.

Cuando vuelves al salón toda la familia está sentada a la mesa, y Van y Claudio se ponen en pie al verte entrar. Don Silencioso te pone una silla en la cabecera de la mesa (por suerte estás a salvo de las garras de Lazzari *senior*), y te sirve una copa de vino. Mientras le das un sorbo al sabroso borgoña blanco, Don Silencioso te pone un plato delante.

—*Polenta e schie* —dice Claudio—. Gambitas sobre una cama de polenta. Es una especialidad local.

Lo pruebas: la caliente y cremosa polenta se funde a la perfección con la gamba crujiente, que tiene un ligero sabor a ajo.

—Está delicioso.

—No es el único manjar que hay en esta mesa —dice el anciano riendo.

—Papá —le advierte Claudio.

Su padre le hace un gesto de indiferencia con la mano y levanta la copa.

—¡Por los nuevos amigos!

Todos entrechocáis las copas y te empiezas a relajar. Esperabas que la noche fuera extraña, pero te las arreglas muy bien para seguir la conversación, que va alternando de forma natural entre la política y la cultura pop. Van complementa sus palabras con salidas ingeniosas, y su hermano Claudio es mucho más comedido con sus opiniones. La única que guarda silencio es Adriana, aunque no te da la impresión de que no le caigas bien, porque te va sonriendo de vez en cuando. Cuando Don Silencioso retira los platos y os sirve a todos una copa de grapa, la chica se excusa diciendo que necesita retirarse pronto.

—¿Cuál es el verdadero motivo de que estés aquí? —te pregunta Van en cuanto ella sale del comedor—. No me creo que mi hermano haya tenido guardada a una preciosidad como tú durante tanto tiempo, y papá lleva toda la noche devorándote con los ojos.

Miras a Claudio y él se encoge de hombros. Das un sorbo de grapa, y el feroz licor se desliza por tu garganta como un retal de seda ardiente que te da coraje. Van lo acabará descubriendo tarde o temprano. Mientras repasas todos los capítulos de la saga, esperas que se ría o que se sorprenda de tu ingenuidad, pero te escucha en silencio, y le va frunciendo el ceño a su padre de vez en cuando.

—¡Papá! —dice—. Eres incorregible.

—Y yo he sido una tonta —admites tú.

—¡Tonterías! —ruge el anciano—. Tú único crimen es ser una romántica. Y esa es una cualidad muy admirable en una mujer.

—Estoy de acuerdo con papá —apunta Van—, por muy viejo verde que sea. Hoy en día queda muy poca gente dispuesta a dejarse llevar por los dictados de su corazón. —Te mira a los ojos y te sonrojas. Cuando levantas la vista te das cuenta de que Claudio te está escrutando, pero eres incapaz de descifrar su expresión.

El viejo verde en cuestión bosteza y se pone en pie.

—*Signorina*, ojalá pudiera disculparme, pero no puedo. Si no te hubiera traído hasta aquí no habríamos podido disfrutar de tu compañía. —Se acerca a ti arrastrando los pies y consigues no poner cara de asco cuando te besa la mano—. Y ahora debo retirarme.

—¿Vamos a la biblioteca? —pregunta Claudio mientras Don Silencioso os rellena las copas. Conversas con ambos hermanos durante un rato más hasta que Claudio señala un tablero de ajedrez que hay en una esquina de la estancia.

—¿Te apetece jugar?

Niegas con la cabeza y reprimes un bostezo. El alcohol, el viaje y las sorpresas del día te están empezando a pasar factura.

—Quizá en otro momento —dices.

—Yo acepto el reto, hermano —dice Van—. Me debes una revancha.

Vuelves a bostezar. Es hora de irse a dormir. Van se levanta y te besa en ambas mejillas con entusiasmo; su hermano te coge de la mano y roza tus nudillos con los labios muy suavemente provocándote un escalofrío que te recorre todo el cuerpo.

Cuando llegas a tu habitación ya es más de media noche. Te das una ducha rápida, te envuelves en la bata de seda que te han dejado sobre la cama, y te deslizas entre las sedosas sábanas.

Tardas un buen rato en encontrar el interruptor de la antigua lamparita. Y cuando al fin la habitación se queda a oscuras, rememoras todo lo que ha pasado esa noche. Has bebido mucha grapa y estás un poco eufórica, pero los detalles de esa noche surrealista, el lujo que te rodea, y esos dos hermanos tan atractivos también han tenido mucho que ver. Cuando por fin te quedas dormida eres muy consciente del sensual roce de la seda y las sábanas frías contra tu piel.

Alguien llama a la puerta. Rebuscas el interruptor de la luz, pero no consigues encontrarlo. La luz de la luna se cuela en la habitación proyectando la claridad suficiente como para que puedas acercarte a la puerta de puntillas sin tropezarte con nada.

—¿Quién es?

—Soy yo.

—¿Quién es yo?

Silencio. ¿Es Van o Claudio? Coges el pomo de la puerta y luego la retiras. ¿Vas a dejar entrar en tu habitación a un hombre que acabas de conocer? Eso sería una imprudencia, incluso una locura. Pero la verdad es que...

 Si abres la puerta, ve a la página 115

 Si no la abres ve a la página 124

Abres la puerta

—¿Quién...? —Pero antes de que puedas decir una palabra más unos fuertes y cálidos dedos te cogen de la mano y te atraen hacia unos labios firmes.

La luna se ha escondido detrás de una nube y lo único que ves es una alta y oscura silueta. Un par de brazos musculosos te envuelven en un suave abrazo y no puedes evitar derretirte contra ese pecho ancho. Aguantas la respiración. Sabes que deberías aclarar la situación o por lo menos averiguar contra quién estás apoyada, pero estás esperando a ver qué pasa. Unos labios te rozan la sien y luego los sientes sobre tu oreja: te estremeces. Tus pezones se endurecen contra el pecho de tu admirador misterioso.

Abres la boca para decir algo justo en el momento en que esos labios se desplazan por tu mejilla, y vacilas por miedo a romper el hechizo. Entonces los cálidos labios se posan sobre los tuyos, y acabas besando a tu visitante de media noche hasta marearte. El único sonido de la habitación es tu respiración acelerada. Temes que hablar acabe con la magia y te des cuenta de que en realidad estás en un motel de mala muerte con una calabaza y una jaula llena de ratones, además de un sapo.

Te tambaleas, y tu admirador te coge en brazos y te tumba sobre la cama con suavidad. No se acuesta contigo y te sientes aliviada, aunque también un poco decepcionada. Lo único que ves es una sombra más densa que el resto asomada sobre ti. Entonces te abre las solapas de la bata y notas un dedo que se desliza por tu cuerpo. Te contoneas; cada átomo de tu cuerpo se pone en alerta con ganas de más. ¿Dónde te tocará o te besará a continuación?

Después de una pausa lo bastante larga como para atormentarte, notas su aliento en tu tripa seguido de un lento lametón que rodea tu ombligo. Gimes y te agitas contra las sábanas. Entonces una boca te besa justo debajo del pecho. Empiezas a contonearte de pura lujuria, y cualquier preocupación sobre a quién pertenece esa boca ha quedado eclipsada por la expectativa de lo que hará a continuación. Y no te decepciona: notas su aliento rozándote el muslo y separas las piernas en silenciosa invitación. Todo ocurre a cámara lenta y a la luz de la luna: el cálido aliento entre tus piernas provocándote, tu cuerpo encorvándose y entregándose en esa enorme cama, y el calor que florece en tu sexo, que se muere por un poco de atención.

Acto seguido, una cálida y ancha lengua se desliza por los labios de tu sexo con seguridad y te los separa con naturalidad. Se te escapa un pequeño grito. La lengua se detiene y se retira un poco, y entonces murmuras:

—¡No pares!

Y la boca misteriosa retoma sus atenciones lamiendo tus partes más íntimas con tormentosa lentitud, chupando los labios de tu sexo, y deslizándose dentro y fuera de tus pliegues, pero sin tocar el clítoris en ningún momento. El tiempo se alarga mientras esa lengua explora y lame tu cuerpo. Los sonidos de la humedad en contacto con la humedad son íntimos e intensos.

No existe otro punto de contacto entre vuestros cuerpos, pero entonces un cálido par de manos se deslizan muy despacio por debajo de tus nalgas y te levantan ligeramente las caderas. Su lengua se hace eco de la maniobra, que empieza a resbalar de arriba abajo. Te sorprendes cuando penetra profundamente en tu cuerpo. Notas su textura, gruesa, cálida y ancha, colándose dentro de tu coño. Te coges los pechos y te frotas los pezones erectos con los pulgares. Sigues sin poder decir una palabra. Estás atrapada en el embrujo de esa boca, y esa cara que apenas sientes presionada contra el balanceo de tu pelvis, restregando su barba incipiente contra la suavidad de tus muslos.

El placer es intenso, pero sin llegar a ser urgente, y también un poco irreal: esa boca flotante adorando tus partes íntimas, y creando la más excitante de las sensaciones. No quieres que se acabe nunca.

Al final la lengua abandona tu sexo y se desliza hacia arriba lánguidamente y con evidente reticencia. Tú vuelves a gritar cuando la notas dura y suave al mismo tiempo posándose sobre tu clítoris, que palpita súper sensibilizado. Entonces empieza a dibujar lentos tirabuzones y círculos, a veces con la punta dura, y otras en giros anchos. El placer se va amontonando en tu interior y tu cuerpo se tensa. Pero la lengua no tiene prisa. Frena y te provoca dibujando círculos y retirándose, y tú te abandonas a sus cuidados permitiendo que sea su propietario quien marque el ritmo.

El placer que sientes en el sexo y los músculos circundantes crece y crece, y estás a punto de ponerte a gimotear cuando esa mágica boca se vuelve a deslizar hacia abajo y te penetra mediante lentas y rítmicas embestidas. Si en algún momento acaba permitiendo que te corras, el orgasmo será sísmico. Estás como enloquecida. Los sonidos que emites no tienen sentido, y no paras de agitar la cabeza de un lado a otro sobre la almohada.

Y entonces, por fin, la lengua vuelve a trepar por tu sexo con firmeza hasta tu hinchado clítoris y te chupa con más fuerza y velocidad, cada vez más y más rápido, y sientes que se acerca la explosión. Te pones a gritar cuando el esperado orgasmo te recorre de pies a cabeza, y tu cuerpo se retuerce presa del éxtasis. Tu coño se humedece y el pálpito que escapa de tu sexo se desplaza por todo tu cuerpo dejándote dócil como una gatita.

Eres vagamente consciente de que la boca está repartiendo suaves besos por tus muslos y por tu tripa. Y entonces la sombra se retira de golpe.

—Espera, qué… —murmuras, pero la única respuesta que recibes es el clic de la puerta al cerrarse.

¿Qué acaba de pasar? Intentas encontrar la explicación, pero eres incapaz de vencer los efectos combinados del viaje, la sorpresa, el feroz licor y la satisfacción de un orgasmo monstruoso que sigue palpitando en la parte inferior de tu cuerpo y te ha dejado sin fuerzas. Te quedas dormida cuando todavía estás intentando descifrar la identidad de tu misterioso experto en sexo oral.

* * *

Después de dormir como un bebé, bajas a desayunar todavía confundida por los acontecimientos de la pasada noche.

Te encuentras a Claudio solo en el comedor, pasando las páginas de un documento.

—¿Has dormido bien? —te pregunta.

—Muy bien —le contestas esbozándole una lenta sonrisa—. ¿Y tú? ¿Has pasado una buena noche?

Él se frota la cara con la mano.

—Pues debo confesar que no.

Palideces. ¿A qué se referirá? La única explicación es que no sea él quien te visitó la pasada noche; debió de ser su hermano. No sabes si sentirte aliviada o decepcionada.

Y hablando del rey de Roma:

—Buenos días —dice Van con alegría.

Lo miras a los ojos esperando ver en ellos un brillo cómplice.

—¿Cómo puedes estar tan fresco después de lo que ha pasado esta noche?

Esbozas una mueca. ¿Acaso sabe que su hermano fue a verte a tu habitación? ¿Cómo lo sabe? Dios… Aunque eso explicaría el mal humor de Claudio.

Se vuelve hacia ti:

—Todo es culpa tuya, ¿sabes? —Abres la boca sin saber qué responder, pero entonces prosigue—: Si hubieras aceptado jugar esa partida de ajedrez conmigo, no me habría quedado hasta altas horas de la madrugada peleándome con mi hermano.

Van se encoge de hombros.

—¿Qué quieres que te diga? Estamos demasiado igualados.

Un momento. Los miras a los dos.

—¿Estáis diciendo que ayer por la noche estuvisteis jugando al ajedrez? ¿Sin hacer ninguna pausa?

Claudio suspira.

—Por desgracia, sí.

Van te mira perplejo.

—¿Estás bien? Pareces indispuesta.

Si no fue Van y tampoco fue Claudio, eso sólo deja a... oh, no. Claudio *senior*. Estás convencida de que si hubiera sido él te habrías dado cuenta. Pero estaba muy oscuro.

—Tengo que salir de aquí —dices—. He cometido un terrible error.

—¿Otro? —dice Van.

—¿A qué te refieres? —pregunta Claudio.

—Me tengo que ir. Ahora mismo.

—Claro.

—Por favor —dices—. ¿Me puedes pedir uno de esos taxis acuáticos?

—Oye... —empieza a decir Van.

—No quiero hablar del tema —dices saliendo a toda prisa del comedor.

Corres escaleras arriba, cierras la cremallera de tu bebé elefante y lo arrastras hasta el rellano, y allí te quedas de piedra cuando ves a la persona que aguarda en el pasillo.

—Buenos días, *bella*. —Lazzari *senior* te sonríe—. ¿Cómo has dormido?

—¿Cómo crees que he dormido? —le espetas.

Él parpadea sorprendido.

—Espero que mi actitud no te molestara demasiado ayer por la noche.

—¿Molestarme? ¿Así es cómo lo llamas? Conde Lazzari, estoy bastante más que molesta por lo que hizo la pasada noche.

—Pero yo pensaba que me habías perdonado por ese..., pongámoslo de este modo, por nuestro malentendido.

—¡Te aprovechaste de mí!

—*Bella*, estás enfadada. Y debo disculparme. Ayer por la noche intenté comportarme. —Se palmeó el estómago—. Pero me pasé toda la noche con indigestión. Ya no me sienta bien la buena comida. Por suerte mis hijos estaban despiertos y me hicieron compañía.

Le miras con detenimiento. Es verdad que tiene mala cara.

—Entonces, ¿no fuiste tú quien llamó a mi puerta la pasada noche?

Se ríe.

—No tuve fuerzas.

Claudio sale del salón.

—Tenemos un barco preparado esperando para llevarte a donde tú quieras. Te pido disculpas si te hemos ofendido de alguna forma. Adiós.

Asiente con sequedad y desaparece. No hay ni rastro de Van.

Confundida y preguntándote si has sido objeto de una elaborada broma, esquivas los intentos del anciano conde por darte un beso de despedida, murmuras un desconcertado agradecimiento por su hospitalidad, y luego arrastras tu maleta hasta el jardín y sales por la puerta que desemboca en el canal. Don Silencioso te está esperando fuera y al verte su impasible rostro esboza una enorme sonrisa.

Y entonces lo entiendes todo.

—¡Tú!

¡Claro! Debió de ser Don Silencioso.

—¡El de ayer por la noche eras tú!

Admites que participaste de buen grado, pero lo menos que podía haber hecho era rebelarte su identidad.

—Pues claro. —Frunce el ceño—. ¿Es que no lo sabías?

—Estaba oscuro… Yo… —Es tan alto como los hermanos Lazzari y es igual de corpulento o incluso más—. ¡Pero si apenas te conozco!

Ladea la cabeza.

—Te contaré lo que necesitas saber: llevo cinco años trabajando para la familia Lazzari. No estoy casado, me encanta pintar y leer, y adoro cocinar.

Basándote en la cena de anoche tienes que admitir que se le da realmente bien. Y eso no es lo único que se le da bien —piensas—, y te sonrojas al recordar la escena de la pasada noche.

Os quedáis mirando el uno al otro en silencio durante algunos segundos.

—¿Y ahora qué? —preguntas.

Te sonríe.

—Es decisión tuya.

Estabas decidida a coger el siguiente vuelo de vuelta a casa, pero entonces miras a tu alrededor y ves Venecia a la luz del día por primera vez. Hay algo atemporal y mágico en una ciudad sin calles, flotando sobre el mar, llena de canales, puentes de piedra y embarcaderos. Y esa luz tan cambiante… No te extraña que todo el mundo quede tan prendado. Ahora estás aquí y sería una pena no disfrutar de la ciudad.

—Supongo que lo mejor será que me busque un hotel.

—Yo conozco un buen sitio. No es tan lujoso como esto, pero está muy bien, y es el lugar perfecto desde el que poder disfrutar de todo lo que puede ofrecerte Venecia.

—¿Todo lo que me puede ofrecer Venecia?

No puedes evitar sonreír.

—Eso, *signorina*, depende de ti. Aunque si estás tan predispuesta quizá pueda tomarme un descanso para que podamos continuar con lo que empezamos ayer por la noche.

Alarga el brazo buscando tu mano y esboza esa sonrisa que le transforma la cara, y de repente te embarga el optimismo. Estás en la ciudad más bonita del planeta y un hombre indiscutiblemente sexy y muy, muy, hábil parece encantado ante la idea de entretenerte. ¿Quién sabe? Quizá tu aventura en Venecia tenga un final feliz después de todo, incluso aunque no sea el final que tú habías imaginado.

Le estrechas la mano.

—¿Por qué no empezamos por decirnos nuestros nombres?

FINAL

No abres la puerta

Después de la terrible noche que has pasado has decidido que lo mejor será ir a un hotel. No quieres pasar otra noche sobresaltándote cada vez que oigas un ruido en el pasillo.

Te encuentras a Claudio tomándose un *espresso* en el salón. Si fue él quien llamó a la puerta de tu habitación ayer por la noche, en su cara no hay ni rastro de su indiscreción. Cuando te ve te saluda con su habitual seriedad. Le explicas que a pesar de estar inmensamente agradecida por su hospitalidad has decidido que te alojarás en otro sitio.

Él ignora tus protestas e insiste en que ocupes una de las suites que tiene reservada su familia en el Hotel Danieli.

—Y mientras estés en Venecia debes ver todo lo que te ofrezca la ciudad. Insisto. Adriana se reunirá contigo en el hotel y te propondrá un itinerario para tu estancia.

Hace las gestiones pertinentes para que el barco lanzadera del hotel pase a recogerte y después de un corto y pintoresco trayecto por el Gran Canal y de ver la fachada de la basílica de San Marcos, llegas al icónico hotel rojo que será tu hogar durante las próximas noches. Mientras curioseas por la habitación, casi no te puedes creer la suerte que has tenido: esta es incluso más bonita que la del *palazzo*. Deshaces la maleta y exploras tus nuevos dominios: el baño es más lujoso que la mayoría de las habitaciones, y hay una bañera tan grande que se podría dormir en ella. Sales al balcón, y mientras observas cómo los barquitos surcan la laguna plateada, te suena el teléfono. Por lo visto la eficiente Adriana te está esperando abajo.

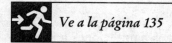 *Ve a la página 135*

Has decidido quedarte en un hotel

—Puede que lo mejor sea que me vaya a un hotel, después de todo. Un sitio más modesto estará bien.

—Eso no será necesario. Tenemos habitaciones a disposición de nuestros invitados en el Hotel Danieli; la empresa se encarga de las facturas —dice Claudio con firmeza—. ¿Adriana, puedes llamar al hotel y preguntar si la suite que utilizamos para nuestras visitas de negocios está disponible?

Empiezas a protestar, pero Claudio te silencia haciendo un gesto con la mano. Adriana se pone en pie y se encamina hacia la puerta presionando números en su teléfono móvil. Vuelve algunos minutos después.

—Ya me he ocupado de todo —anuncia—. Nos mandan su lanzadera, llegará en veinte minutos. ¿Tienes equipaje?

—Sí, está abajo —le dices. La idea de poder descansar en la habitación de un hotel te resulta repentinamente atractiva después de los nervios y sobresaltos de la noche.

Van te sirve otra copa de Prosecco, y cuando te la terminas llega el barco del hotel. Te despides de tus anfitriones con educación y te deslizas hacia la puerta. Claudio *senior* extiende los brazos en tu dirección y hace un travieso puchero.

—Vaya, ¿no me vas a dar un beso de buenas noches?

Vences la tentación de hacerle una peineta y te marchas seguida de Claudio, el mayordomo, y las risas de Van. Claudio te posa una cálida y firme mano bajo el codo y te acompaña escaleras abajo hasta el jardín, donde Don Silencioso coge tu maleta como si estuviera llena de plumas en lugar de contener tus mejores galas. Suspiras, ahora ya no tendrás muchas oportunidades de ponértelas.

Antes de ayudarte a subir al barco, Claudio te mira a los ojos y se vuelve a disculpar:

—Lo lamento mucho, de verdad.

—También es culpa mía por haber sido tan impulsiva. Pero me pareció una aventura muy romántica, y parecía sincero…

Se te apaga la voz. No te puedes creer que hayas sido tan tonta.

—Mi familia te compensará por haberte causado tantos problemas y gastos —prosigue Claudio—. Adriana irá a tu hotel mañana con un itinerario para que, por lo menos, puedas disfrutar de tu visita a Venecia.

Y entonces, para tu sorpresa, se inclina hacia delante y te da un beso en cada mejilla antes de ayudarte a subir al barco.

La embarcación te lleva hasta la desembocadura del Gran Canal y vas viendo varios monumentos a la luz de las farolas: reconoces las enormes volutas de Santa María de la Salud y la Punta della Dogana por las fotos que has visto en tu guía de viaje. Luego dobláis a la izquierda y pasáis junto a la Plaza de San Marcos y el Palacio Ducal. ¿Y ese no es el Puente de los Suspiros, donde el mismísimo Don Giovanni en persona se citaba con sus conquistas? Conecta directamente con un magnífico edificio rojo de ventanas puntiagudas, el Hotel Danieli. Hay varias hileras de góndolas aparcadas en el exterior, y a pesar de las altas horas de la noche todavía hay mucha gente paseando por los muelles.

Te pellizcas: ¡no te crees que vayas a pasar la noche en un sitio así! Y, sin embargo, la barca se interna en un pequeño canal y se detiene junto a una puerta lateral. Los porteros uniformados salen a ocuparse de tu equipaje y ayudarte a bajar. Te acompañan hasta el vestíbulo abovedado: los colores y las lujosas texturas enfatizan tu sensación de estar viviendo un sueño. Mires donde mires, ves alfombras persas tejidas con seda, y la genuina pátina del tiempo, candelabros que parecen pasteles glaseados y enormes centros de flores.

Te guían hasta un ascensor antiguo de paredes de terciopelo rojo, y, tras un paseo laberíntico por majestuosos salones y pasillos (momento en el que te preguntas cómo encontrarás el camino de vuelta), llegáis a tu suite. Después de la noche que has pasado, te parece un santuario. Siempre que los santuarios estén amueblados con camas enormes de cabeceros acolchados y tengan bombones caseros sobre las almohadas.

Si existe una cama en el mundo hecha para disfrutar del sexo... Pero esa opción ha saltado por la ventana con tu dignidad. Suspiras y te quitas la ropa que has llevado durante todo el viaje. Te pones la lujosa bata de felpa que encuentras en la suite, y te paseas por la habitación para explorarla a fondo. Descubres el minibar, que está oculto con discreción en un armario de falsa época medieval, y coges una botella de champán y te vas al baño. Espacio que tampoco te decepciona. Allí también hay cuadros y un lujoso sillón. La bañera, recubierta de madera de cerezo, es lo bastante grande para dos, y hay un montón de chucherías cosméticas.

Es justo lo que necesitas en este momento. Te preparas un baño y viertes en el agua caliente todos los jabones y aceites fragantes que encuentras. Luego te metes dentro y te relajas envuelta por una aromática bruma de vapor con la copa de champán al alcance de tu mano. Has sido víctima de un engaño y has recorrido medio mundo para conocer al hombre equivocado: te has ganado este baño.

Mientras aprietas la esponja y el agua gotea entre tus pechos piensas que todavía no te lo crees. Cuando piensas que habías fantaseado en hacer el amor con Claudio, estar con él en un lugar tan romántico como ese, verlo entrar por la puerta con una toalla alrededor de la cintura que dejaría caer al suelo inclinándose sobre ti… mmm. Te pasas la esponja por los pechos y sientes cómo se te ponen los pezones duros mientras imaginas esos oscuros y profundos ojos mirándote fijamente… Y entonces en tu cabeza aparecen un par de ojos grises.

Oye, ¿de dónde ha salido eso? No hay ninguna duda de que Claudio es lo bastante ardiente como para fundir el plomo, pero ahora que lo piensas bien su hermano pequeño Van también es muy atractivo. Y dado que te lo vas a montar en solitario, ¿acaso importa el compañero que elijas para tu fantasía?

 Si decides que Claudio será el amante de tu fantasía, ve a la página 130

 Si te decantas por vivir una atrevida y jadeante fantasía con Van, ve a la página 132

Imaginas una apasionada escena con Claudio

Te reclinas e imaginas que Claudio está en la bañera contigo y que estás apoyada sobre su firme pecho. Mientras empapas la esponja y la sostienes sobre tus pechos para apretar y provocar una cascada de agua caliente y fragante sobre tu piel, imaginas las fuertes y bronceadas manos de Claudio y el suave vello oscuro de sus muñecas.

Imaginas esas manos cogiendo la esponja y deslizándola sobre tus pechos y tus pezones, agarrándolos por turnos y acariciándolos con suavidad. Entonces deslizas la esponja y la imagen de las manos de Claudio bajando muy despacio... El contacto del agua caliente ligeramente aceitosa te sienta casi tan bien como la esponja, que ahora está bajo el agua resbalando por tu tripa. Levantas una pierna y la apoyas sobre el borde de la bañera. Luego coges una pastilla de ese estupendo jabón y lo frotas contra la esponja. Sin dejar de imaginar las manos de Claudio, apoyas la esponja sobre tu sexo y empiezas a frotar dibujando lentos círculos al tiempo que separas un poco más los muslos.

Luego te deslizas un dedo por entre las piernas, y muy despacio buscas la abertura con delicadeza. Sigues imaginando los ágiles dedos de Claudio, y jadeas al recrear que es él quien separa los labios de tu sexo y se adentra con habilidad mientras el agua caliente remoja tu humedad y tu calor.

Te contoneas en la sedosa y fragante agua tomándote tu tiempo y explorándote a conciencia antes de llegar al clítoris.

En tu cabeza es Claudio quien te acaricia los alrededores antes de empezar a frotar tu clítoris imprimiendo la presión exacta: ni muy fuerte ni demasiado suave. Echas la cabeza hacia atrás imaginando que lo que sientes en la nuca es su clavícula y la calidez de su cuerpo contra la espalda.

Empiezas a jadear cuando el placer emana de tu clítoris provocándote esa conocida sensación en el coño. Dejas un dedo fuera e imaginas que el dedo que se interna en tu sexo es de Claudio, que te murmura provocativas palabras al oído cuando tu clítoris empieza a palpitar. Y entonces te corres sintiendo unas intensas y satisfactorias oleadas de placer, y el agua salpica a tu alrededor mientras te contoneas y ruges.

Entonces notas esa agradable relajación en tu cuerpo. Toda la tensión del día ha desaparecido y sigues disfrutando de la enorme bañera de ese hotel de cuento de hadas con una copa de champán. Suspiras. Eres muy consciente de que sólo era una fantasía, pero cosas más raras se han hecho realidad. ¿Quién sabe qué deseos podrían cumplirse en ese mágico lugar? Está claro que vale la pena quedarse unos cuantos días en Venecia.

 Ve a la página 135

Fantaseas con una aventura con Van

Sales de la bañera, te envuelves en tu aterciopelada bata y tecleas el nombre de Van en Google usando tu portátil. En la
pantalla aparece una hilera de imágenes y las vas pinchando
una a una. Hay una fotografía en la que se le ve jugando al
polo con el príncipe Harry, y otra donde está a punto de hacer
puenting desde un altísimo puente de Sudáfrica; está bronceado y sonriente. Es evidente que es un *playboy* internacional.
Entonces encuentras algo interesante: una fotografía en la que
aparece junto a su madre: están viendo el torneo de Wimble-
don juntos. Los miras. Ella es preciosa, pero tiene ese aspecto
quebradizo ligeramente vidrioso que acompaña a las mujeres
que llevan demasiados años a dieta y que han abusado del
Botox.

Pinchas unas cuantas imágenes más y descubres que Van
no tiene pareja, siempre que consideres que el hecho de que
aparezca acompañado de un sinfín de bellezas y que le atribu-
yan media docena de aventuras siga significando que es soltero. Parece un poco travieso, pero eso lo hará más divertido.
Estás segura de que estará más que predispuesto a hacer alguna locura.

Desnuda bajo la lujosa bata del hotel abres las ventanas y
sales al estrecho balcón con vistas al canal. Todavía hay algunos
turistas paseando por el muelle y gondoleros esperando para
dar los últimos paseos de la noche, pero los puestos de recuerdos para turistas ya están recogiendo.

Imaginas a Van en la suite de pie detrás de ti rodeándote por la cintura. Te deslizas una mano por dentro de la bata y te coges un pecho. Sopla una brisa suave sorprendentemente cálida y percibes esa sensación traviesamente prohibida al tocarte tan cerca de otras personas.

Das rienda suelta a tu imaginación y visualizas a Van en el balcón pegándose a ti por detrás. Te levanta la falda y se saca la polla para pegártela a los muslos. Si alguien os mirara sólo vería un hombre alto abrazando a una mujer desde atrás, por delante dais una imagen decente.

Observas las luces del agua y deslizas una mano por entre las solapas de la bata con discreción mientras separas un poco más las piernas imaginando la aterciopelada polla de Van presionándose contra ti. Tu mano trepa por entre tus piernas. Las imágenes eróticas que corren por tu cabeza te han puesto muy húmeda, y jadeas al sentir cómo tu dedo se interna en tu coño.

No te puedes creer que te estés tocando de esa forma casi en público. La situación te hace sentir salvaje, libre y muy excitada. Pero no estás preparada todavía para tener un orgasmo en público y te alejas del balcón imaginando que es Van quien te empuja en dirección a esa enorme cama. Levantas las piernas y te metes un dedo follador imaginando que se tumba en la cama contigo. Cuando te ves sentándote a horcajadas sobre él, colocándote sobre su polla y metiéndotela dentro, te empiezas a correr en cortas y feroces ráfagas y rugiendo aliviada. Vaya, estabas más tensa de lo que creías —piensas cuando tu respiración empieza a normalizarse—. Por extraño que te parezca, ese rápido y sucio orgasmo era justo lo que necesitabas, y sonríes para tus adentros sintiéndote un poco más optimista. Crees que mañana estarás preparada para descubrir Venecia, y aunque estás segura de que si vuelves a ver a Van te sonrojarás, en cierto modo esperas que ocurra.

 Ve a la página 135

Has decidido quedarte en Venecia

Las vistas del canal y la turbia luz que ilumina el agua con tonos perlados y alimonados te hace desear quedarte más rato en el balcón. Pero Adriana te está esperando en el lujoso salón del hotel. Va vestida con formalidad: traje y fular. Pide una manzanilla para ella y un *capuccino* para ti. Tú sigues tratando de no quedarte boquiabierta al ver lo que te rodea: estás convencida de que en la mesa de al lado hay un actor de segunda fila, pero no quieres quedarte mirando descaradamente.

—Te he propuesto distintas opciones —dice Adriana abriendo una carpeta donde guarda un mapa de la ciudad, un pase para los *vaporettos* y varias entradas a museos—. Como es la primera vez que visitas Venecia, es probable que quieras empezar por la Plaza de San Marcos y el Palacio Ducal. Para mañana tienes los museos y las islas; estaré encantada de hacerte de guía. O quizá prefieras ir a Niza. Claudio tiene una reunión de negocios allí que le ocupará la mayor parte del día, y se va a llevar el jet privado de la compañía.

Estás confusa.

—¿Por qué Niza? Me refiero a que por agradable que suene, no sé qué podría hacer allí.

—Claudio es amigo personal del director del museo del perfume que está en las montañas, en las afueras de la ciudad. Ha pensado que podría apetecerte hacer algún taller. La perfumista te ayudará a crear tu propia fragancia personal. El proceso lleva varias horas y habrá comida y champán. Es una buena forma de mimarte un poco, además de ser muy interesante.

Guarda silencio un momento para echar un vistazo al contenido de su carpeta.

—También nos gustaría invitarte a una velada de ópera, una actuación en uno de los *palazzos*. Eso será pasado mañana. A eso tienes que venir, ¡será muy divertido!

Su pose profesional flaquea cuando se inclina animada hacia ti.

—Es una tradición familiar, nuestro pequeño carnaval. Nos disfrazamos todos y llevamos máscaras, es un ensayo para las grandes fiestas y bailes que nos trae el Carnaval en invierno. La ópera es una parte fundamental del carnaval. Los cantantes y músicos actúan en los grandes *palazzos*, el champán fluye a raudales, y luego bailamos hasta el amanecer. Es maravilloso. Por eso nos damos el gusto de disfrutar un poco de la experiencia antes de que llegue el invierno.

Hmmm. Has traído tu minivestido negro preferido y un vestido de gasa roja muy adecuado para un cóctel o una cena, pero no estás segura de que eso sea lo más adecuado para acudir a una salida a la ópera.

—No estoy segura de que tenga algo adecuado para ponerme.

—Eso es fácil de solucionar. Aquí hay tiendas que alquilan disfraces; te llevaré a visitar alguna. Tendrás que alquilar una máscara, y quizá también una peluca si te apetece, depende del disfraz que elijas. Nosotros nos lo tomamos muy en serio, contratamos personal profesional para que nos peine y maquille, incluso alquilamos joyas si es necesario.

Da unos golpecitos sobre la carpeta que te ha dejado delante encima de la mesa.

—Pero ¿qué te gustaría hacer estos dos próximos días? Estoy a tu entera disposición.

Ahora que has decidido quedarte unos días, incluso después de la debacle de los dos Claudios, estás disfrutando mucho de tener opciones entre las que poder elegir. ¿Deberías centrarte en el aspecto más mágico de Venecia?

¿O deberías viajar a Niza y disfrutar un poco de la Riviera (y de paso también de Claudio) aprovechando que tienes la oportunidad? Te atrae bastante la idea de hacer un taller sobre perfumes; siempre te han encantado las buenas fragancias, y está claro que sería una experiencia diferente.

 Si decides explorar Venecia, ve a la página 138

 Si eliges volar a Niza con Claudio, ve a la página 158

Has decidido pasear por Venecia

Hace un día precioso y disfrutas de un balsámico tiempo de principios de otoño. En el cielo flota una nube baja que parece hecha de algodón, y por entre su textura lanosa se cuelan unos rayos de sol que hacen brillar los apagados tonos rojos y ocres del edificio. Has decidido salir a pasear por tu cuenta —estás convencida de que Adriana tiene mejores cosas que hacer que ser tu niñera—, y te has enfrentado a la marabunta de gente que da de comer a las palomas de la Plaza de San Marcos y has hecho la cola para entrar en la Basílica y al exquisito Palacio Ducal, que te hace pensar en las delicias turcas y su textura rosa. Ahora paseas tranquilamente y no dejas de perderte una y otra vez: todo parece muy fácil sobre el mapa, pero no paras de encontrarte con calles sin salida y canales minúsculos y te ves obligada a dar marcha atrás.

Tu visita ha coincidido con la Bienal de Venecia, una enorme exposición de arte internacional. No sueles volverte loca por el arte, pero hay muchas cosas preciosas e inusuales para ver, a menudo en extrañas combinaciones, y te estás divirtiendo entrando en iglesias renacentistas para encontrarte dentro modernas esculturas angulosas esculpidas en metal oxidado posando junto a los habituales habitantes de esos lugares, estatuas centenarias de querubines mofletudos y santos de ojos tristones.

Estás en la orilla sur del Gran Canal, en un amplio muelle de piedra conocido como Zattere. Entre la gente distingues menos turistas y más estudiantes. Te sientas en el tramo de escaleras de la puerta de una iglesia y observas un gigantesco barco de cruceros remolcado por el canal por una embarcación más pequeña.

El calor del sol te sienta de maravilla en la cara, y justo cuando estás disfrutando de su calidez, un alto joven tropieza contigo al salir de la iglesia.

—*Scusi, signorina*. ¡Lo siento mucho! —dice.

¿Tiene acento americano?

—No se preocupe —contestas. La luz del sol te ciega y parpadeas, sólo ves una silueta recortada contra la luz, pero cuando su imagen se hace más clara parpadeas de nuevo. Es uno de los hombres más guapos que has visto en tu vida. Es como Venecia, las cualidades más atractivas de este y oeste se funden en su rostro. Sus ojos y unas cejas con forma de ala apuntan hacia arriba en paralelo con unos pómulos que se podrían utilizar para trazar líneas, y por detrás de sus orejas se descuelgan unos brillantes mechones de pelo negro que le llegan a los hombros.

Es alto y muy delgado, es la clase de figura holgada que siempre da una impresión sexy cuando está en movimiento. Sonríe y te ofrece una enorme mano perfecta de muñecas prominentes y dedos largos.

—¡Hablas inglés! —dice agachándose con elegancia a tu lado—. Disculpa. Dentro está muy oscuro y por un momento no vi nada al salir. ¿Te importa si me siento contigo? Me llamo Zhou.

Pasáis algunos minutos intercambiando detalles de presentación y averiguas que es un artista que ha expuesto su arte en esa iglesia. Su madre es china, su padre es iraní, él estudió arte en Berkeley, y ahora vive en San Francisco.

Conoce muy bien Venecia, y te resulta agradable tener a alguien a quien poderle preguntar sobre la ciudad; y este chico es bastante menos intimidante que la refinada Adriana. Te habla de los pequeños bares y panaderías donde puedes comer la misma comida que los venecianos, y te ayuda a interpretar los mapas con las rutas de los *vaporettos*, cosa que te resulta muy útil, porque tú ya estabas pensando que necesitabas una carrera técnica para descifrarlos.

—¿Hay algún edificio normal en Venecia? —preguntas, y él se ríe.

—Es una especie de museo viviente. Por desgracia no hay muchos venecianos que se puedan permitir vivir aquí. La mayoría de la gente que trabaja aquí, tanto en restaurantes como en tiendas, viven en tierra firme y vienen y van cada día. Pero sigue siendo la ciudad más bonita y romántica del mundo. —Te mira con sus ojos rasgados—. Y hablando de romance, ¿te puedo preguntar si estás sola? ¿O has dejado a tu fornido novio en el hotel?

Por un momento recuerdas el ridículo embrollo en el que te metiste y no puedes evitar agachar la cabeza.

—Oh, no, he metido la pata, ¿verdad? —dice Zhou—. Lo siento, no pretendía fisgonear. Sólo quería enseñarte mi exposición y quizá ir a tomar algo después, pero no pretendía dar nada por supuesto.

—Es una larga y absurda historia, pero la respuesta corta es que estoy sola, aunque no fuera el plan inicial —suspiras.

—En ese caso, ¿te apetece una visita guiada por mi exposición? Te prometo que no tienes por qué hacer exclamaciones de admiración. Y si te parece horrible, siempre puedes esconder tus reacciones tras una tos educada.

—¿Por qué no? No tengo ningún otro plan.

Albergas la esperanza secreta de que su arte no incluya la clase de piezas vanguardistas con animales de peluche metidos en gelatina o alguna pinza para la ropa rota enmarcada junto a un cartel que la titula «Rapsodia Doméstica #13». Pero no piensas rechazar la invitación de un tipo que tiene mejor físico que las estatuas renacentistas de ángeles que has estado viendo todo el día.

Dejas que tire de ti para ponerte en pie y te acompañe al interior de la iglesia, donde al principio no ves nada. Zhou te explica que el espacio está oscuro porque muchas de las piezas son vídeos, y entonces ves unas luces de colores bailando en el suelo justo delante de ti, como luciérnagas de colores. Es bonito, y compartes tu opinión con él.

Seguís andando por la nave hasta llegar al altar, donde está el principal espacio de la exhibición. Hay cuadros de distintos tamaños suspendidos que cuelgan de montantes o cadenas que penden del techo. Algunos de ellos giran sobre sí mismos revelando pinturas a ambos lados. Hay focos apuntando a las pinturas, que son surrealistas: una gaviota vuela por las profundidades del océano y su tamaño supera al de una ballena; un caballo mira por encima del hombro de un anciano que lee el periódico en un banco; un niño juega al solitario en la pantalla de un portátil que se pierde en la galaxia.

—¡Son preciosas! —susurras, y como recompensa los largos dedos de Zhou te estrechan el hombro rozándote la piel.

—Quiero enseñarte mi pieza favorita —dice—. Pero para eso tenemos que sentarnos.

Te sientas en los escalones del altar muerta de curiosidad, y Zhou te pide que mires hacia arriba. Y allí, proyectada en la cúpula de la iglesia, ves la imagen de un cielo nublado. Por un momento tienes la sensación de que hayan abierto la cubierta del edificio con un abrelatas celestial.

Mientras observas las imágenes, las nubes se transforman en peces que nadan por el agua azul mientras las algas se retuercen balanceadas por la corriente. Las estrellas de mar que pasean por la cúpula se convierten de repente en estrellas de verdad, al tiempo que el agua oscurece hasta adquirir el color del cielo de media noche. Y entonces las estrellas desaparecen, el cielo se viste de tonos rosados y el círculo se repite. Es extrañamente conmovedor, y cuando te vuelves para decirle a Zhou lo mucho que te gusta, tienes los ojos llenos de lágrimas.

—Oye, oye, ¿qué pasa? —dice, y la preocupación que le tiñe la voz te desmonta.

—Todo es un desastre. He sido una tonta.

Te limpias las lágrimas furiosa contigo misma por dejar que los sobresaltos de la noche anterior te afecten tanto.

—¿Has tenido un problema con tu novio?

Zhou ladea la cabeza.

—Más bien «un problema con mi novio imaginario».

Zhou te coge de la mano.

—Mira, no sé qué te preocupa ni lo grave que es, pero conozco un remedio que lo cura casi todo.

—¿Incluyendo haber hecho el ridículo más completo, espectacular y espantoso de tu vida? —preguntas sorbiendo por la nariz.

—Especialmente eso. ¡Vamos! —dice, y dejas que te saque de la iglesia. Dobláis la esquina y encontráis un estrecho canal donde dos gondoleros están puliendo los adornos de sus barcas. Y entonces descubres adónde te lleva.

—¡Tachán! —entona Zhou con aspecto de estar encantado consigo mismo, y con razón. El chico es un genio, y no sólo como artista. El cartel de la minúscula tienda que tienes delante contiene la palabra mágica: *Gelato*. Ya te sientes mejor.

—Invito yo —dice Zhou—. Te recomiendo el de pistacho.

Cinco minutos después paseas junto al canal comiéndote el helado más exquisito que has probado en tu vida. Y los delicados rayos del sol, la exótica ciudad, las obras de arte que has visto (que te han hecho sentir que Zhou ya no es un desconocido, sino alguien que te ha dejado asomarte a su alma), te empuja a contar tu historia. O quizá sólo se deba a la magia del helado italiano.

En cualquier caso, lo cierto es que te sienta muy bien sincerarte, y Zhou sabe escuchar: hace sonidos de empatía y de horror en los momentos precisos mientras le explicas cómo tu supuesta cita romántica acabó patas arriba. Cuando acabas con tu desgraciada historia, le miras y crees entrever una sonrisita en sus labios.

—¿¡Te estás riendo de mí?!

—¡No! ¡Te lo juro! —dice, pero en sus ojos sigues adivinando una sonrisa. Entonces comprendes que la situación es muy absurda y te deshaces en carcajadas. Cuando empiezas a reír, ya no puedes parar, y al rato acabáis apoyados uno sobre el otro casi histéricos de la risa.

—¡Oh, Dios, ese maldito viejo verde! —ululas—. ¿Cómo pudo inventarse algo así?

—Creo que después de esta historia te mereces lamer mi cucurucho —dice Zhou—. Te aseguro que está delicioso.

—¿En serio? —Te inclinas hacia él—. ¿Tú también lamerás el mío?

Vuestros ojos se encuentran y le aguantas la mirada mientras te pones de puntillas para lamer su helado muy despacio. Él lame el helado al mismo tiempo que tú y, cuando te das cuenta de que vuestras lenguas están a escasos milímetros de separación, sientes un aleteo de mariposas en el estómago. Lo volvéis a lamer muy despacio casi al unísono. Si seguís por ese camino en pocos segundos os estaréis besando y la perspectiva te afloja las rodillas.

Sostienes el cucurucho con los dedos y al hacerlo los deslizas entre los suyos. Notas como el helado te resbala por la mano.

Sin dejar de mirarte a los ojos, Zhou te levanta los dedos con la mano que tiene libre y lame el helado que tienes en la piel. Luego se apodera de tu dedo índice, se lo mete en la boca y succiona. Te estremeces (cosa que no le pasa por alto), y los dos os inclináis hacia delante en busca del último resto de helado que queda en su cucurucho. Vuestros labios se encuentran todavía fríos y dulces del helado.

Zhou te abraza y tú apartas el helado de tu cuerpo. Te agarra con fuerza mientras explora tu boca con sus ágiles labios. Su ritmo es perfecto, y justo cuando empiezas a desear que profundice en el beso, su lengua se pega a tus dientes y tú te abres a él echando la cabeza hacia atrás. Cuando ladea la cabeza para besarte más profundamente, disfrutas de las distintas texturas: la suavidad de su lengua, sus tersos labios y la ligera barba incipiente.

Desliza una mano por tu trasero y la otra trepa por tu espalda. A estas alturas los dos habéis dejado caer los cucuruchos y os besáis con impaciencia. Y entonces Zhou te da media vuelta, te pasa la mano por encima de los hombros y vuelve, casi corriendo, en dirección a la iglesia. Os tambaleáis escalones arriba, os adentráis en la oscuridad del templo, y pasáis junto a sus cuadros hasta llegar a una capilla lateral.

Apenas consigues verlo en la oscuridad, pero notas cómo te coge de la cara con las manos. Vuelve a posar los labios sobre los tuyos y os besáis con ferocidad. Un minuto después notas su mano en el muslo deslizándose por debajo de tu falda con decisión. Vaya, ¡este chico no se anda con rodeos!

Sientes una momentánea incertidumbre, una cosa es besarse, pero ¿follar en una iglesia? ¿No te condenarán y te acabará partiendo un rayo o algo así?

—Espera —le dices separándote un poco.

—¿Voy demasiado deprisa? —jadea Zhou—. ¿O no te gusta el sitio?

Lo piensas un momento. En realidad hay algo de ambas cosas. Pero quizá esto sea justo lo que necesitas para eliminar el regusto humillante que has sufrido a manos de los Lazzari. No puedes negar que Zhou te parece muy atractivo (a fin de cuentas eres una mujer). Está buenísimo, es artista, y tiene un instinto muy afilado en lo que a helados se refiere. Quizá deberías abalanzarte sobre la ocasión, y de paso abalanzarte también sobre él.

 Si decides mandar a paseo la prudencia y follar en la iglesia, ve a la página 147

 Si prefieres ir a un lugar más privado (y menos sacrílego), ve a la página 149

Has decidido mandar a paseo la prudencia

Rodeas el cuello de Zhou con los brazos y le besas con firmeza.

—Quiero seguir —le susurras al oído antes de mordisquearle el lóbulo; eso debería dejar las cosas claras.

Él ruge, entierra la cara en tu cuello y te agarra un pecho con una mano, luego el otro. Sus fuertes dedos te masajean los pezones. La mano que tiene libre no deja de pasearse por tu espalda mientras te ayuda a caminar de espaldas hasta que sientes el contacto de la fría piedra contra la espalda.

Entonces notas el calor de su mano sobre el muslo trepando por tu piel en dirección a tu cadera. Notas cómo sus dedos se cuelan por el encaje de tus braguitas y tiran con firmeza. Estáis a punto de hacerlo, y cuando su boca empieza a resbalar por tu cuello en dirección a tus pechos, dejas caer la cabeza hacia atrás.

A duras penas consigues reprimir un grito: un par de ojos lúgubres te miran desde arriba. Pertenecen a una *madonna* cuya mirada de profunda lástima por la maldad de la humanidad ha perdurado varios siglos. Pero tiene un efecto automático sobre ti.

—Zhou, lo siento, pero no puedo hacer esto. ¡Por lo menos aquí no! —dices y te separas de él jadeando.

Él te suelta en seguida y se disculpa.

—Tienes razón, quizá este no sea el lugar más relajante —dice con la respiración acelerada—. Tengo una idea…

Se te pasa por la cabeza la idea de volver a tu hotel, pero está en la otra orilla del Gran Canal, y no estás segura de que la magia que hay entre vosotros vaya a resistir un trayecto en un *vaporetto* lleno hasta los topes.

—¿Tienes algún sitio menos sagrado en mente? —le preguntas—. Preferiblemente sin santos muertos ni vírgenes vigilando.

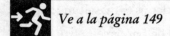

Ve a la página 149

Has decidido buscar un sitio más privado

Sigues a Zhou por las estrechas calles de Venecia y cruzáis una red de minúsculos puentes de piedra hasta llegar a una portezuela que conduce a un vestíbulo con el inevitable suelo de mosaico blanco y negro. Ves algunas señales que indican que es otra de las instalaciones utilizadas para la Bienal, una de las exhibiciones de las repúblicas centroasiáticas.

Hay un hombre adormilado tras el mostrador de la entrada. Apenas se molesta en abrir un ojo cuando le asiente a Zhou, que te hace entrar a toda prisa. Subís un tramo de escaleras y pasáis junto a una hilera de coloridas esculturas y varias fotografías que ocupan toda la pared en las que se ve representada una boda gitana. Al final Zhou aparta una cortina roja y te hace gestos para que entres en una pequeña habitación.

Alucinante, habéis entrado en lo que parece la tienda de un sultán. Todo el suelo está forrado con alfombras de tonos rojos, dorados y negros. Han estampado los mismos dibujos en telas y maderas, de forma que toda la estancia es una réplica de las alfombras, las paredes, los cortinajes que cuelgan del techo, los cojines y los muebles. Es la habitación más sensual que podrías imaginar, incluso a pesar de parecer salida de un viaje de ácido, y la tenéis toda para vosotros solos.

Zhou te tumba sobre los cojines y te empieza a bajar la cremallera del vestido.

—Ei —le dices agarrándole la mano—, que no se nos escapa el tren.

—Ya lo sé. Me estoy comportando como un adolescente —admite—. Es que estás muy buena y tengo miedo de que desaparezcas.

No puedes evitar reírte.

—Quiero un poco más de esto, por favor —le dices enterrando los dedos por entre su pelo sedoso y besándolo con languidez.

Y durante lo que parece una eternidad, los dos os enroscáis sobre la suave alfombra y los almohadones y rodáis de un lado a otro pegados por la boca y la lengua. Al final, eres tú la que insiste en quitarse el vestido y hacer lo mismo con su camisa.

El delgado torso ambarino de Zhou no tiene ni un solo pelo y es suave y sedoso al tacto. En el musculoso pectoral que da cabida a su corazón descubres un tatuaje en el que se ven unas líneas flotantes con una escritura exótica.

—¿Es árabe? ¿Qué significa? —preguntas rozando uno de sus pequeños pezones con el dedo.

—Es la palabra arte escrita en caligrafía persa —dice—. Ya sé que es un cliché, pero significa que mi corazón pertenece a mi arte. Aunque en este momento tú eres la única obra de arte en la que quiero centrarme.

Es una frase muy cursi, pero no te importa porque sus dedos ya se están ocupando de desabrocharte el sujetador. Te besa en la boca una vez más, y entonces sus labios resbalan hacia el sur de tu cuerpo deslizándose por tu cuello, pasando por tu clavícula y siguen en dirección a la curvatura de tus pechos. Ruges y arqueas la espalda impaciente por sentir su boca sobre tu pezón, y él no te decepciona. Se mete la punta de tu pecho muy lentamente en la boca y se pone a dibujar círculos alrededor de tu pezón con su ágil lengua.

Después de algunos minutos de puro paraíso, le susurras:

—El otro se está poniendo celoso.

Y él se ríe contra tu piel antes de trasladar sus atenciones al otro pecho. Esta vez cuando desliza la mano por tu muslo, lo estás deseando, y elevas la cadera mientras él cuela el dedo por el elástico de tus bragas, que desliza por tus piernas con facilidad.

Por un momento tienes una sensación extracorpórea: estás desnuda en una ciudad desconocida, revolcándote entre los brazos de un extraño sobre una alfombra que pertenece al sultán de un harén. Y por lo visto Zhou también se siente cautivado por la imagen que le estás regalando: literalmente. Acaba de coger su teléfono móvil.

—Estás preciosa. Esas curvas, tu sedosa piel sobre la tela y las borlas de las alfombras rodeada de tonos rojos y dorados por todas partes… ¿Te puedo hacer una foto?

Tragas saliva al imaginar tu cuerpo desnudo colgado en internet, pero estás tan excitada que te cuesta preocuparte por eso en este momento.

—Vale, pero no me saques la cara —dices.

Te hace la foto y luego se tumba a tu lado para enseñártela. Tienes que admitir que es fantástica. Tu cuerpo forma una curva en forma de ese junto a un almohadón, tu piel arde sobre los vivos colores y texturas de la tienda, y te brillan los pechos.

—Ahora te toca desnudarte a ti —susurras atacando el botón de sus vaqueros. Las piernas que emergen de la tela vaquera son infinitas, y su pene es exactamente igual; está ligeramente curvado y lo tiene tan duro que casi parece que esté hecho de alguna clase de mármol. Pero el oscuro y húmedo glande te deja bien claro que es de carne y hueso.

—Ojo por ojo —le dices sonriendo mientras alargas el brazo en busca de su teléfono y tiras de él hacia abajo para tumbarlo entre las telas y las alfombras. Luego le haces una traviesa fotografía que retrata su polla alzándose por entre la suave perfección de su cuerpo lampiño; se parece bastante a las muchas columnas que has visto ese día—. ¡Mira, es la torre inclinada de Venecia!

Zhou sonríe y se incorpora sobre un codo para mirar la fotografía que has sacado.

—¿Qué tal un poco de restauración? —susurra cogiéndote la mano para posarla sobre su polla. Aprietas y él gime. Luego se coloca encima de ti y desliza una rodilla entre tus piernas.

Captas la indirecta y separas las piernas, y entonces le toca explorar a él, momento que aprovecha para deslizar los dedos por la cara interior de tu muslo. Te encuentras en ese delirante instante en el que tu amante está a punto de entrar en contacto con tu coño, ese momento en que casi estás hirviendo de deseo. Entonces notas sus cálidos dedos rozando tus labios, abriéndolos, y tu humedad se dispersa por tus muslos. A continuación llega el clásico sobresalto cuando sientes su dedo colándose en tu interior, y el otro frotándote el clítoris.

Cuando empiezas a gimotear presa del éxtasis, notas el contacto de unas cálidas manos que te separan los muslos, unos mechones de pelo sedoso balanceándose sobre tu monte. Su boca, que percibes más cálida todavía, se posa sobre tu sexo para chuparte y deslizar la lengua entre y alrededor de tus labios mientras continúa frotándote el clítoris con el dedo.

La sensación es casi insoportable y te encorvas y te retuerces mordiéndote el puño. Te gustaría pisar el freno, pero él es implacable: los intensos lametones de su boca alternan con la rítmica presión de sus dedos, y sientes el inevitable comienzo del orgasmo. El placer se hace fuerte en tu pelvis y explota por todo tu cuerpo con tal aspereza que resulta casi doloroso. Te retuerces contra los cojines sacudiendo la cabeza y gritando. El alivio que sientes a continuación es exquisito. Cuando las palpitaciones de tu cuerpo disminuyen y los latidos de tu corazón van volviendo lentamente a la normalidad, notas cómo se van fundiendo las tensiones y las decepciones de las últimas veinticuatro horas.

Al poco abres los ojos y ves a Zhou inclinado sobre ti con una sonrisa en los labios y la polla bien firme. Esto está muy lejos de acabar, y mientras tú sigues tumbada con descaro frente a él, el chico coge sus vaqueros y rebusca en el bolsillo en busca de un preservativo.

Entonces te da media vuelta. Estás demasiado agotada debido a la intensidad del orgasmo para ponerte a cuatro patas, pero tampoco parece que sea eso lo que tiene en mente. En lugar de hacer eso, te coloca sobre una pila de cojines de forma que tu trasero queda ligeramente elevado. Tienes los muslos separados y la cabeza apoyada sobre los brazos.

Oyes el ruido del paquete del preservativo al abrirse, y luego el susurro de su voz en el oído cuando se arrodilla sobre ti:

—¿Estás preparada para mí?

Murmuras tu asentimiento, y sientes la punta de su polla encapuchada rozando la entrada de tu coño empapado, seguida de esa gloriosa sensación cuando se desliza profundamente en tu interior. A pesar de lo empapada que estás, tu coño tarda unos segundos en ajustarse. Ese ángulo es nuevo para ti, y su polla presiona terminaciones nerviosas que no sabías que tenías. Gimes encantada.

Zhou empieza a embestirte, primero lentamente, casi parece más una presión, y luego va internándose más profundamente con cada nueva embestida. Tú jadeas cada vez que llega al fondo, y entonces le oyes susurrar:

—Lo estoy grabando.

¿Qué? ¡eso no es lo que habías comprado! Pero antes de que puedas protestar, un largo brazo te rodea sosteniéndote el teléfono para enseñarte lo que acaba de grabar. Observas fascinada la imagen de su larga, suave y brillante polla deslizándose en tu profundo y rosado coño, que parece alguna clase de jugosa flor tropical con los labios abiertos y todo húmedo. Resulta sorprendente y excitante a un mismo tiempo observar cómo tu sexo se traga su polla una y otra vez, y escuchar tus jadeos y sus rugidos, especialmente cuando él sigue embistiéndote mientras los dos miráis la pantalla del móvil sin que en ningún momento cesen tus movimientos y gemidos en una especie de bucle de placer.

Zhou suelta el teléfono porque necesita las dos manos para agarrarse a tus caderas y poder embestirte más y más rápido. Y entonces deja escapar un inmenso rugido y se corre en cuatro o cinco espasmos, cada uno de ellos internando su polla un poco más profundamente que el anterior.

Se hace una larga pausa mientras jadea en tu cuello y se deja caer sobre ti. En seguida rodáis sobre la suavidad de las telas que os rodean.

Seguís agarrados, pero ya no hay urgencia. Ahora los dos tenéis el cuerpo sudoroso y satisfecho.

—Me parece que hemos destrozado la exhibición —murmuras al poco extendiendo una perezosa mano en busca de tu sujetador, que asoma por debajo de lo que parece el sudadero de un camello.

—No te preocupes, es muy resistente —dice tumbándose boca arriba para quitarse el preservativo y volver después a estirarse a tu lado.

Entonces te asalta un pensamiento: lo bien que Zhou conoce el sitio, la reacción aburrida del tipo de la entrada, el oportuno preservativo…

—¡No soy la primera mujer que traes aquí!

Él levanta las manos en fingida rendición.

—No, no eres la primera chica que traigo aquí. Ni el primer tío, ya que estamos. ¿Te supone algún problema?

Te lo quedas mirando decepcionada, pero también enfadada contigo misma por sentirte de esa forma. Tampoco es que tengas ningún derecho sobre ese chico. Lo único que sabes de él es que es muy excitante y que tiene mucho talento, y que ha conseguido que te sintieras mejor contigo misma un día en el que los niveles de tu autoestima estaban a cero.

Tomas una decisión.

—No, no hay ningún problema. No tengo ningún problema con la multipropiedad cuando es necesario, y me lo he pasado muy bien. Pero hay algo que no estoy preparada para compartir.

Coges su teléfono.

Te observa con ironía mientras encuentras el picante vídeo pornográfico de vuestros cuerpos moviéndose en sincronía, y lo vuelves a ver con nostalgia durante algunos segundos. La verdad es que dais una imagen muy caliente. Entonces lo borras presionando un botón. Zhou exclama un momento, pero no hace ningún ademán de detenerte.

Decides dejar que se quede con la fotografía anónima de tu cuerpo arqueado entre los cojines y le devuelves el teléfono.

—Bueno, ya está. Vistámonos y vayamos a tomar algo. Tanto ejercicio me ha dejado sedienta.

Te ayuda a levantarte y te da tu ropa.

—Pues sí. Y la buena noticia es que ya hemos quemado el helado. Por si quieres ir a por más.

Cuando salís, te suena el teléfono. Es la eficiente Adriana. Ha dejado algunos mensajes con instrucciones para la noche de ópera en el hotel, y quiere saber si serás capaz de encontrar el camino hasta la tienda de disfraces para probarte tu traje al día siguiente.

—Zhou, ha sido genial, pero ahora tengo que volver al hotel a solucionar esto —le dices—. ¿Nos vemos otro día?

—Te tomo la palabra —te dice sonriendo despreocupado—. Siempre me podrás encontrar a través de mi página web. Nunca se sabe, quizá algún día ganes mucho dinero y quieras comprar alguna de mis obras.

—Trato hecho —le dices inclinándote para besarlo.

Te acompaña a una parada del *vaporetto* y una vez a bordo te das media vuelta para ver su esbelto cuerpo alejándose por entre la gente con las manos en los bolsillos. Mira hacia atrás, se despide con la mano, y luego desaparece. Y en ese momento sabes que volverás a acordarte de él cada vez que te comas un helado de pistacho.

 Ve a la página 175

Te vas a Niza con Claudio

Claudio te recoge en el muelle Danieli, y no te sorprende ver a Don Silencioso al timón de la motora. Ya te has acostumbrado a ir en barco a todas partes. En seguida ponéis rumbo al aeropuerto a toda prisa. Pasáis los controles de seguridad en un abrir y cerrar de ojos, y estás deseando poder quedarte a solas con Claudio en el avión.

Has tenido tiempo más que suficiente para lamer las heridas de tu lastimado orgullo, y has decidido que mientras estés en su territorio no ves ningún motivo por el que no puedas conocerlo un poco mejor, o quizá darle la oportunidad de que te conozca un poco a ti. Es tan atractivo en persona como en las fotografías y, según la prensa amarilla que consultaste ayer por la noche, no mantiene ninguna relación con nadie en particular. Le has visto acompañado de mujeres guapas en algunas fotografías, pero nunca era la misma, y reconociste a Adriana cruzando la alfombra roja de Cannes junto a él en el último certamen del festival de cine. Está claro que asistir a un evento como ese con su prima no sugiere que mantenga una relación seria con nadie.

Es muy probable que seas la última mujer de la Tierra en la que esté interesado después de la debacle de la noche anterior, pero ahora vais a pasar el día juntos, ¿por qué no disfrutarlo al máximo? Te abrochas el cinturón en el interior de la lujosa cabina y le lanzas una mirada por debajo de las pestañas. Nunca habías estado en un jet privado y estás intentando no parecer demasiado sorprendida.

Para tu enorme decepción, Claudio abre su maletín y saca una *tablet* y un abultado montón de documentos.

—Lo siento —dice—. Me tengo que preparar la reunión. Estos clientes son muy exigentes.

Vaya. Por suerte no es un vuelo muy largo y te entretienes admirando las espectaculares vistas de los lagos y las montañas cubiertas de nieve que ves pasar a tus pies, y leyendo los folletos de tu taller sobre perfumes. Parece muy interesante.

Al poco el piloto os pide que os preparéis para el aterrizaje. Mientras el avión desciende, observas la Riviera por la ventana: las montañas asoman sobre un mar azul verdoso, y la ciudad de Niza a tus pies es como un cuenco de lentejuelas rojas y amarillas. Es uno de esos aterrizajes que te hacen pensar que te vas a estrellar en el mar, pero en el último minuto la pista se materializa bajo las ruedas y aterrizáis con suavidad.

Os recibe un chofer en un coche muy lujoso, y recorréis el paseo marítimo, que está lleno de palmeras. Como el verano ya ha acabado, la preciosa lengua de arena sólo está salpicada de algunos hombres con cañas de pescar y termos.

Claudio se baja en el Hotel Meridien, donde pasará la mayor parte del día metido en una sala de juntas, pero tú continúas tu viaje en dirección a las rocosas colinas. Los jardines son más exuberantes de lo que esperabas, y por todas partes florece el plumbago y la buganvilla rodeando olivos e higueras. En seguida llegáis a la cima, donde ves una diminuto pueblo de piedra sobre un pico rocoso a tu derecha, y tu destino, el museo del perfume, un edificio de color rosa salmón, que queda a la izquierda. El chofer promete volver a recogerte al final de la tarde, y se marcha.

Tu nombre provoca un revoloteo de saludos y sonrisas. Está claro que esta vez sí que te esperaban, y una joven que viste un traje de raya diplomática te guía hacia el interior del edificio. Pasáis junto a enormes alambiques de cobre y fotografías de trabajadores hundidos hasta las rodillas en rosas y mimosas, metiendo palas de flores en cubas.

Te acompaña hasta una estancia en la que se fusionan distintas épocas históricas. Por un lado, te asalta la sensación de estar en la tienda de un boticario antiguo gracias a los estantes llenos de diminutos frascos marrones con nombres como vetiver e ylang-ylang; y por el otro, no puedes ignorar el aire de modernísimo laboratorio químico, lleno de pipetas, probetas y fregaderos.

Tu acompañante se retira y pocos minutos después oyes el enérgico sonido de unos tacones cruzando el pasillo, y una imponente mujer entra en la sala. No es una belleza convencional, pero tiene ese estilo inconfundible y el porte por el que son famosas las francesas. Lleva muy bien peinada una corta melena roja estilo bob, y el traje verde salvia de lana rizada que luce sólo puede ser un Chanel. Sus exquisitas piernas desembocan en unos tacones negros, sencillos pero con mucho estilo, y la mano que te tiende a modo de saludo luce una manicura impecable.

Es Madeleine, la directora del museo y por lo visto también una experta en perfumes.

—*Enchantée* —dice cuando te presentas—. Ven y ponte cómoda. Amélie nos traerá un café ahora mismo. Siempre disfruto mucho trabajando con personas individuales para crear su fragancia personal. Y Claudio es un viejo amigo; hace negocios con mi marido.

Un ruido en la puerta anuncia la llegada de los cafés acompañados de cruasanes y brioches en miniatura.

Madeleine se inclina hacia delante y te clava sus enormes ojos verdes mientras le das un sorbo a tu café.

—Para hacerle un perfume a una mujer primero es necesario conocerla. Las fragancias son algo muy personal. Mi trabajo me ha convertido en una mezcla de química, psicóloga, maga y confesora. Así que hoy pasaremos un buen rato hablando sobre ti.

Es muy posible que tengas cara de sorpresa porque se ríe.

—No tienes por qué asustarte. Te prometo que no será doloroso. Y también habrá champán. Pero déjame empezar explicándote la ciencia de...

Empieza a explicarte la parte química, que es el corazón de todas las fragancias que venden en las tiendas *duty-free* y los grandes almacenes, y juntas salís del laboratorio para que pueda enseñarte algunas de las exposiciones del museo que ilustran sus palabras. El tiempo pasa volando y tienes que admitir que te estás divirtiendo.

Al final, de vuelta en la sala llena de aceites perfumados y pipetas, saca una botella de champán de una nevera y dice:

—Bueno, ahora ya te has hecho una ligera idea de la teoría. Pero para poder hacerte un perfume inolvidable aquí y ahora, necesito saber un poco más de ti. —Sirve dos copas de espumoso y sostiene la suya para brindar—. Por las revelaciones —dice—. Me pregunto qué misterios ocultas.

—Oh —objetas agitando las manos—. Yo no tengo ningún misterio, sólo soy una chica normal...

—Bueno, para empezar, por qué no me cuentas por qué has venido a visitar a Claudio a Venecia. Es todo muy extraño. No ha sabido decirme ni una sola cosa sobre ti.

Te hundes. Lo último que quieres hacer es explicarle a esa mujer tan sofisticada que un octogenario pervertido te engañó para que cogieras un avión y te plantaras en Venecia. Pero tienes la sensación de que esa mujer no aceptará un no por respuesta.

—Cuéntame qué te preocupa. Tengo tiempo de sobra y tenemos champán. Quiero la historia completa, por favor, pero sin lágrimas, porque te taponarán la nariz y los perfumes se echarán a perder.

En realidad te alivia mucho sacarlo todo, y cuando terminas de hablar, Madeleine se pone de pie con actitud triunfante.

—¡Pero si es perfecto! —dice.

Te la quedas mirando.

—¿A qué te refieres?

—Es cierto que no es una historia alegre, te han engañado. Pero tu situación me revela todo lo que necesito saber para hacerte el perfume perfecto. Te arriesgaste. Eres impulsiva. Apasionada. Te irías hasta el fin del mundo por amor. En realidad, tengo hasta un nombre para tu perfume: ¡Impetuosa!

Esta mujer tiene tal capacidad para darle la vuelta al desastre que debería dedicarse a la política. Pero de repente te sientes mucho mejor. Quizá después de todo no vuelvas a casa sintiéndote humillada. Regresarás con un perfume único en el mundo, llamado «Impetuosa», creado sólo para ti.

Le sonríes.

—Ya estoy preparada para el paso siguiente —le dices.

—Ya lo creo —murmura acompañándote hasta una mesa semicircular conocida como órgano de perfumista. Tiene un montón de estantes llenos de aceites esenciales. Hay un abanico de tiras de papel, y un tarro de granos de café—. Elegir tus aceites puede resultar un poco abrumador pasado un rato —te explica Madeleine—. Cuando necesites un descanso, huele los granos de café, aclaran la nariz. Empezaremos con un aceite base, una sustancia muy agradable a la piel que no interfiere con ningún perfume —prosigue dándote un frasco de aceite de almendras—. Mira qué bien se extiende. —Te pone una gota en el reverso de la mano y lo frota con sus relajantes dedos estilizados.

Sus manos se mueven con destreza por entre las minúsculas botellas, seleccionando unas y rechazando otras. Abre pequeños recipientes etiquetados con nombres poéticos: haba tonka, chipre, olíbano, salvia sclarea y aceite de neroli. Y otros que te hacen pensar en jardines: palisandro, albahaca, mandarina, clavel, jazmín.

—Dime cuáles te gustan más. ¿Qué fragancias te hacen sentir? —te pregunta ofreciéndote las tiras de papel e invitándote a mojarlas en los aceites para olerlas.

La experiencia es embriagadora. Oler una fragancia concentrada tras otra, y algunas son muy fuertes, es abrumador.

—Este es bastante oscuro —dices cuando Madeleine te pone una tira de musgo de roble bajo la nariz.

—El secreto está en la mezcla y en la armonía entre los aceites. Toda fragancia necesita una nota alta, una media, y una base.

Te coloca las manos a ambos lados de la cabeza con delicadeza.

—Las notas altas son las primeras en percibirse, son las que dan la primera impresión, como los ojos o la sonrisa de una persona.

Empieza a dibujar lentos círculos en tus sienes y no puedes evitar relajarte. Es justo lo que necesitas, que te mimen.

—Las notas medias duran más, son las que redondean la fragancia y le dan calidez. A veces se las denomina notas de corazón, y con razón. —Mientras habla, Madeleine posa por un momento dos fríos dedos sobre la piel de tu torso, justo por encima de tu pecho, y da unos suaves golpecitos—. Son el corazón del perfume.

No sabes si se debe a las poderosas esencias que has inhalado, al alivio que has experimentado al contar tu historia o a las manos de aquella mujer, pero te sorprendes contoneándote en la silla, y no precisamente a causa de ninguna incomodidad. Te gustaría que siguiera acariciándote, como si fueras un gato, te dices.

Entonces, como si pudiera leer tus pensamientos, Madeleine dice:

—Y, por último, están las notas de fondo, que son las que duran más. Son las más oscuras, pero también las que sostienen el perfume, las que mantienen vivo el misterio. —Mientras habla, te posa las manos en las caderas y te las agarra con delicadeza—. ¿Sabías que es de aquí de donde sacamos nuestra energía?

Se hace una pausa mientras sigue inclinada sobre ti con las manos todavía sobre tus caderas y la cara junto a la tuya. Está tan cerca que la oyes respirar. Percibes su sutil fragancia, evoca algo verde con una pizca de picante. Vuelves la cabeza y la miras a los ojos consciente de que sus suaves labios rojos están a escasos milímetros de los tuyos. Sabes que tienes unos pocos segundos para actuar o el momento se perderá para siempre. Pero también sabes que cualquier movimiento tendrá que salir de ti. Y, sin embargo, nunca has hecho nada parecido.

Pero ¿no ha sido Madeleine quien te ha llamado impetuosa, como si fuera algo digno de admirar?

 Esto no va contigo. Prefieres dejar pasar el momento y centrarte en la confección de tu perfume. Ve a la página 173

 Qué narices. Vas a hacer honor a esa faceta tuya tan impetuosa. Ve a la página 166

Has decidido hacer honor a tu faceta impetuosa

Inspiras hondo y te inclinas hacia delante. Es una distancia minúscula, pero en algún rincón de tu mente oyes las palabras de Neil Armstrong «Un gran paso para la humanidad» (o en tu caso para la feminidad), justo cuando tu boca roza la de Madeleine. No te devuelve el beso, pero tampoco se retira, y sus manos empiezan a deslizarse por tus caderas en dirección a tu cintura en una inconfundible caricia.

La vuelves a besar; sus labios son increíblemente suaves y carnosos comparados con los de los hombres con los que has estado: su labio superior es especialmente tierno, y lo succionas con suavidad. Parece que el mundo vaya a cámara lenta, y pasa una eternidad hasta que su lengua se desliza por tus labios, choca contra tus dientes y se interna en tu boca. La sensación es enigmática y mantienes los ojos cerrados disfrutando también del contacto de sus manos, que son más pequeñas de lo que estás acostumbrada, y han empezado a trepar por tu torso.

Sigue inclinada sobre ti, y te anima a ponerte de pie sin dejar de besarte. Dais unos cuantos pasos hasta el *chaise longue* de la esquina, donde os dejáis caer y os empezáis a besar más en serio.

Entonces deja escapar una pequeña exclamación, se aparta de ti y se levanta. Oh no, ¿has hecho algo mal? Pero sólo ha ido a bajar las persianas de la ventana y a quitarse la chaqueta. Debajo lleva uno de esos corpiños de una sola pieza que tan bien les salen a los franceses. Está confeccionado con delicado encaje negro. Te alegras de haberte puesto uno de los sujetadores más bonitos que tienes, y empiezas a desabrocharte la blusa con torpeza.

—Déjame a mí —dice Madeleine desabrochándote con eficacia. Luego dobla tu ropa y la deja a un lado. Te mira larga y pausadamente y, con mucha delicadeza y por encima de la tela del sujetador, te toca un pezón, que ya está duro—. ¿Estás segura de que quieres seguir? —te pregunta—. Ya me he dado cuenta de que esto es nuevo para ti, pero me parece que estás abierta a nuevas experiencias, ¿verdad?

Vacilas sólo un momento. Estás en un país extranjero, en un laboratorio de perfumes, con una sofisticada francesa muy sexy, y una oportunidad como esta no se presenta dos veces en la vida. ¿No deberías aprovechar el momento? «Impetuosa», murmuras. Madeleine te oye y se ríe.

—Me parece que tengo que repetirte la lección sobre aceites esenciales —te dice tumbándote sobre el *chaise longue*. Se sienta junto a ti y, haciendo gala de una gran eficiencia, se empieza a quitar los zapatos, la falda del traje y las bragas de satén. En seguida te das cuenta de que es una pelirroja natural, y de que su sexo es tan pulcro como el resto de su imagen.

Entonces se inclina sobre ti. Sólo lleva puesto el corsé.

—Primero las notas altas o la cabeza del perfume si lo prefieres —dice, y te va besando por la cara y el cuello y te muerde las orejas. Te estremeces al sentir el contacto de sus pequeños mordiscos por tu piel deslizándose muy despacio por tu cuello y tus hombros.

Notas cómo te desabrocha el sujetador con habilidad —tiene sentido que se le dé bien a una mujer—. Luego vuelves a escuchar su voz, que ahora suena un poco más ronca:

—Luego están las notas medias, las que le dan cuerpo al perfume. —Sientes su cálido aliento sobre los pechos, seguido del contacto de su mano. Gimes en voz baja cuando te retuerce el pezón, y con un poco más de fuerza cuando su boca se posa primero sobre un pecho y luego sobre el otro para lamerte los pezones. Su voz suena sofocada contra tu piel, pero la oyes decir—: Es el corazón de la fragancia.

Tú alargas las manos hacia sus pequeños y pálidos pechos empujada por el apetito y la curiosidad. Sobresalen por encima del corsé y los masajeas fascinada por el contraste de la increíble suavidad de su piel y la rigidez del encaje.

—Espera, aún no he acabado con mi lección —dice deslizando las manos por tu torso y dejándolas resbalar por tu cintura hasta posarlas sobre tu cadera—. Las más importantes son las notas de fondo: son las que duran más, las que le dan esencia a la fragancia…

Te quita las bragas con aspereza y desliza las manos más lentamente por encima de tus muslos extendiendo los pulgares sobre tu monte. Te has quedado sin habla, pero separas las piernas en silenciosa invitación y ella deja resbalar una mano entre tus muslos.

—Se podría decir que esas notas tan intensas son el centro del perfume.

Y entonces presiona tus labios hinchados y las dos jadeáis sorprendidas por la cálida humedad que encuentra entre tus piernas. Antes de que tengas tiempo de pensar en lo que está pasando, Madeleine desliza dos dedos en tu interior. Tú te encorvas como un arco y levantas las piernas. Estás sorprendida del placer que estás experimentando y de lo mucho que lo deseas.

—Y este es el centro del perfume de cualquier mujer. Esto es lo que determina la esencia —concluye Madeleine.

Después te separa las piernas y te las eleva para abalanzarse sobre tu sexo con la boca. El contacto de sus labios sobre y dentro de tu hendidura es una dulce tortura, y te contoneas y gimes mientras ella te sujeta con sus firmes pero delicadas manos.

Te lame el clítoris hasta que empiezas a gimotear y arqueas las caderas. Luego se separa un poco para provocarte y coloca la lengua en la entrada de tu coño. Y cuando ya no lo puedes soportar más, vuelve a tu clítoris y empieza a dibujar círculos a su alrededor y a presionarlo tanto con los dedos como con los labios.

La maravillosa tortura se alarga durante lo que parecen eones, pero por mucho que ella juegue, te provoque y se retire, tu orgasmo es inevitable: se acerca como un tren de mercancías y te golpea con fuerza partiéndote por la mitad, obligándote a levantar las caderas del *chaise longue* y a presionar el coño contra la boca de Madeleine. Tardas un rato en darte cuenta de que ha tenido que taparte la boca con la mano para sofocar tus feroces gritos.

Mientras sigues tumbada disfrutando de las deliciosas contracciones del orgasmo que te recorre las venas como un sirope dorado, ella se sienta a horcajadas sobre ti y separa las piernas.

Sus pulcros pechos han escapado del confinamiento del corsé y sus pezones son del mismo rosa intenso que su sexo, que te ofrece separando sus hinchados labios con dos dedos para mostrarte su brillante excitación.

No estás muy segura de lo que pretende que hagas, pero parece que lo tiene todo controlado. Madeleine se limita a frotar su sexo contra el tuyo restregando su clítoris contra tus húmedos pliegues, balanceándose y embistiendo como lo haría un hombre. Pocos minutos después echa la cabeza hacia atrás, se le oscurecen los pezones, y se contrae una y otra vez sentada sobre ti y gritando jadeante.

Luego se deja caer a tu lado, te besa con suavidad, y percibes tu sabor en sus labios, cosa que te provoca otra suave oleada de placer que te recorre de pies a cabeza.

Os quedáis tumbadas compartiendo un cómodo silencio hasta que Madeleine se pone de pie y se acerca al órgano de perfumista para coger varias botellas y frascos.

—Relájate —te dice—. Tengo que ir a mezclar los ingredientes de tu perfume. Y ahora sé exactamente las fragancias que voy a utilizar.

Te frota aceite de almendras dulces en la tripa, los pechos, brazos y muslos, y luego añade minúsculas gotas de fragancia y te las extiende por la piel.

—Mira, estoy utilizando el almizcle para el valor, jengibre para la calidez, verbena de indias para el frescor, y gardenia para la sensualidad. ¿Te gusta tu nueva fragancia, *mademoiselle* impetuosa?

Sí, te gusta mucho. Y también te gusta advertir que la mano con la que te está acariciando vuelve a colarse entre tus muslos para untarte ese cálido aceite en el clítoris, dibujando pausados pero intensos círculos alrededor y por encima de tu sensible monte. Esta vez tardas un poco más en llegar a las alturas, pero al final empiezas a balancear la cadera y vuelves a gritar cuando el placer explota en tu coño e irradia hacia fuera.

Pasas un buen rato sin ser apenas consciente de nada. Y pasas las horas siguientes (tiempo que se emplea en dar los últimos preparativos a la confección de tu perfume, grabar la fórmula para poder reproducirla siempre que quieras, y elegir el envase antes de dejar reposar la mezcla), con una sonrisa perezosa en la cara.

* * *

Para comer te sirven ensalada templada de queso de cabra, bullabesa y champán. De postre te traen unos *macarons* de color lavanda en unas cajitas atadas con un lazo. Y mientras comes recuerdas una conversación que has mantenido con Madeleine.

—No pretendo ser entrometida ni ofenderte, pero nunca había hecho nada parecido, con una mujer, claro, y tengo curiosidad —empiezas a decir—, ¿no mencionaste un marido? ¿Cómo funciona? ¿Eres lesbiana o sólo flexible?

Madeleine se ríe.

—Estoy felizmente casada y tengo tres hijos preciosos. Mi marido y yo mantenemos una relación muy sólida. Y también tenemos un acuerdo. Él tiene una amante; y yo tengo mis aventuras. Nadie se decepciona y todo el mundo es muy discreto. Nuestros hijos viven en una atmósfera civilizada y feliz.

—Vaya —murmuras—. No sé si yo podría ser tan práctica.

Pero entonces piensas dónde has acabado por culpa de tu vena romántica: engañada y abandonada en un país extranjero. Por otra parte, podrías argumentar que el romanticismo también es indirectamente responsable de haberte tumbado en un *chaise longue* con una elegante y sexy perfumista. Y todavía te queda por delante un vuelo privado de vuelta a casa en compañía de un atractivo conde italiano. No está nada mal.

 Ve a la página 173

Estás en el avión de vuelta a Venecia con Claudio

Te reclinas en el asiento mientras la costa del sur de Francia desaparece tras la bruma de una romántica puesta de sol, y suspiras complacida.

Claudio levanta la vista de su *tablet*.

—Espero que hayas tenido un día fabuloso. ¿Madeleine ha cuidado bien de ti? Es una mujer muy talentosa.

Le lanzas una mirada punzante, pero su comentario parece inocente.

—No te haces una idea —dices entre dientes, y luego añades un poco más alto—: me lo he pasado muy bien, gracias.

No tienes ninguna intención de compartir las sorpresas del día con él.

Él alza la cabeza e inspira con apreciación.

—Espero que no te importe que te lo diga, pero hueles muy bien. Como para comerte.

Este comentario hace que le vuelvas a lanzar una mirada inquisitiva, pero le das el beneficio de la duda, en especial porque te está sonriendo con mucha calidez. Te das cuenta de que aún no le habías visto sonreír, y el gesto le transforma la cara y en su masculina barbilla aparece un hoyuelo.

—Gracias. De momento sólo llevo una mezcla aproximada hecha con aceites. El perfume de verdad tiene que reposar algunas semanas. Me lo enviarán después.

—¿Te puedo preguntar qué nombre has elegido para tu fragancia personal?

Te sonrojas.

—Te vas a reír: Impetuosa. Ha sido idea de Madeleine —te apresuras a añadir.

Claudio se ríe enseñando sus perfectos dientes blancos.

—Es una lástima que no puedas llevar tu nuevo perfume a nuestra noche de ópera. Espero que vengas.

Consideras un minuto la posibilidad. No eres exactamente una fanática de la ópera, y la idea de tener que llevar disfraz y antifaz te resulta un poco intimidante. Pero también te da la impresión de que podría ser una auténtica aventura, y no quieres perdértelo.

—Gracias. Me encantaría. Siempre que a Adriana no le importe ayudarme a encontrar un disfraz y el resto de las cosas que necesito.

—Excelente. Te ayudará encantada; ella disfruta mucho de esas cosas.

Vuelve a sonreír y se te aflojan un poco las rodillas. Quizá acabes con él en un palco privado de la ópera rodeados de cortinas de terciopelo y butacas acolchadas, o bailando entre sus brazos en un magnífico salón bajo los brillantes candelabros. Una chica puede soñar, ¿no?

 Ve a la página 175

Te estás preparando para ir a la ópera

Mientras Adriana charla sobre lo que os depara la noche con la propietaria del selecto almacén de disfraces cerca de La Fenice, la Ópera de Venecia, aprovechas para echar un vistazo. Hasta el último milímetro de espacio está lleno de lujosas telas y trajes: seda, satén, y terciopelo brillan bajo la tenue luz veneciana.

En la pared del fondo de la tienda, hay un televisor de plasma, donde se están proyectando imágenes del evento más lujoso del carnaval, *Ill Ballo del Doge*. Te quedas asombrada de lo lujosos e inventivos que son los disfraces. Los invitados van impecables, no llevan ni un solo pelo fuera de sitio, y a excepción de los músicos, todo el mundo lleva máscara. Algunas mujeres sólo lucen antifaces, pero los hombres llevan máscaras de media cara que les cubren todo el rostro menos los labios, o máscaras completas, preferiblemente de color dorado. El efecto resulta un tanto siniestro, ligeramente exquisito y definitivamente glamuroso.

Adriana y su amiga te traen un montón de disfraces para que te los pruebes, y te metes en un minúsculo probador para quitarte la ropa hasta quedarte en ropa interior. Te van poniendo una magnífica prenda tras otra y abrochándote los corsés. Mientras te vas probando vestidos de distintos siglos, tienes la sensación de estar en una clase de historia, cada uno es más lujoso que el anterior.

El problema es que todos pesan mucho. Están confeccionados con mucha tela, complicadas combinaciones, miriñaques, crinolinas y corsés. Te miras en el espejo. Llevas un vestido color limón, el corsé propulsa tus pechos hacia arriba y te hace un escote magnífico, pero casi no puedes respirar y no te imaginas, de ninguna forma, pasando una noche entera en la ópera con ese modelo puesto, por no hablar de comer o beber nada.

—Lo siento, pero no estoy cómoda con esto —dices al fin, rodeada de montañas de brocado y seda—. ¿Es obligatorio llevar un disfraz histórico? ¿O puedo llevar otra cosa?

Adriana chasquea los dedos.

—Tengo una idea. ¿Qué hay de los disfraces de los bailarines? —Se zambulle en otro montón de ropa, pero entonces ves el vestido de tus sueños colgado en lo alto de la pared: un corpiño ajustado confeccionado con lo que parecen plumas de pavo real que trepan por un hombro, y una finísima falda de *ballet* azul hecha con varias capas de tul.

Los chicas siguen la dirección de tus ojos.

—Ah, sí, ese lo hice para la bailarina principal de nuestro último ballet en La Fenice —comenta la propietaria—. La verdad es que es exquisito, y parece que podría irte bien. Utilicé lazos para la espalda con la idea de que pudiera servir a mujeres de distintas tallas.

Lo baja y te lo acerca. Está hecho con plumas de pavo real auténticas, cuidadosamente pegadas sobre un corsé de satén violeta y sujetas con lentejuelas, cristalitos y perlas. Rezas para que te esté bien; es el vestido más romántico que has visto en tu vida.

Adriana afloja los lazos y te ayuda a ponértelo: se pega a ti como una segunda piel. Te miras en el espejo, y es como si un hada madrina te hubiera tocado con su varita, nunca has tenido un aspecto tan glamuroso.

Las dos mujeres comentan la jugada.

—Lo tendrá que llevar sin sujetador porque está abierto por la espalda. ¿Y qué zapatos le ponemos?

* * *

Media hora después sales de la tienda un poco mareada. No sólo te han encontrado un vestido, también un vaporoso chal plateado, un collar de perlas falsas con pendientes a juego, medias transparentes y portaligas, la importantísima máscara, y un par de bailarinas de color turquesa. Por un momento has pensado en elegir unos tacones, pero en los pocos días que llevas en Venecia ya has aprendido que es una ciudad de suelos irregulares, charcos, mármoles resbaladizos, escalones y puentes.

Te da vértigo pensar en la factura, pero Adriana no parece preocupada.

—Tenemos cuenta en esta tienda —fue lo único que dijo cuando intentaste sacar el tema—. Ven a nuestro *palazzo* luego —te dice—. Pero echa una siesta antes de venir, será una noche larga. La peluquera vendrá a las seis, y también nos maquillará —añade—. Y después iremos a la ópera en góndola.

Ya está oscureciendo y te sientes como Cenicienta. Ya llevan una hora arreglándote en el Palazzo Grania, al que has llegado después de una buena siesta y un baño en tu bañera (que ya se ha convertido en tu lugar preferido de la ciudad). Cuando

Adriana y tú estáis listas, te miras por última vez en el espejo dorado del siglo XVIII.

Tal vez se deba a la suave pátina del espejo antiguo, pero casi no te reconoces. La peluquera te ha hecho un peinado que deja tu nuca al descubierto y consigue que tu cuello parezca más largo. Y tus hombros, cubiertos de una de esas lociones corporales brillantes, destacan por entre las suaves plumas del corsé.

Adriana lleva un vestido del renacimiento confeccionado en brocado dorado y azul, y una pequeña fortuna en joyas; lleva el pelo recogido sobre la cabeza con un peinado muy elaborado. Cogéis vuestras máscaras. La suya es un antifaz tradicional blanco y negro, pero la tuya es una mezcla de plumas que sólo te tapa los ojos. Una vez listas, salís a encontraros con los hombres.

Claudio y su padre os están esperando a los pies de la escalinata y bajas los escalones cohibida por tu elegante vestimenta. No ayuda nada que Claudio *senior* silbe y aplauda, aunque te encanta advertir que su hijo no te quita los ojos de encima.

Don Silencioso, ataviado también con el mismo disfraz que los dos Lazzaris, aparece para informar de que las góndolas están preparadas. Cuando te ve se detiene a media frase y se hace un intenso y aprobador silencio mientras te mira.

Cuando salís de casa, Van aparece corriendo todavía en vaqueros.

—Os pido perdón a todos por llegar tarde. ¡Vaya! —Se detiene para silbaros a ti y a Adriana—. Señoritas, están sensacionales. Por favor, adelantaos sin mí. Yo cogeré un taxi acuá-

tico y me reuniré en la Ópera con vosotros. ¡Guárdame sitio!
—te dice guiñándote el ojo.

Desaparece y te quedas con los demás. Los tres hombres llevan tricornios negros y máscaras que les tapan toda la cara a excepción de la boca. Parecen atractivos bandoleros. Te ayudan a subir a la góndola, y se arma un indigno alboroto cuando el padre de Claudio intenta sentarse contigo y es desbancado por su hijo. Te sientes aliviada de que nadie haya acabado en el agua y te reclinas sobre el acolchado asiento rojo, desde el que tienes una visión muy distinta de los canales y los *palazzos* que se levantan al otro lado.

Os siguen otras góndolas con más invitados a la fiesta de la ópera, y cuando la pequeña flota inicia su trayecto impulsada por las pintorescas maniobras de los gondoleros, un grandullón empieza a cantar desde la proa de una de las barcas entonando una popular área de ópera en un grave tono de barítono.

En cualquier otro lugar sería una extravagancia, pero aquí se vive como algo natural y te sientes hechizada por el momento.

—Yo pensaba que eran los gondoleros los que cantaban —le comentas a Claudio, y él te explica que es un malentendido muy generalizado. Por lo visto lo más habitual es contratar músicos profesionales para que se encarguen de las serenatas.

En seguida (demasiado para tu gusto) llegáis a un *palazzo* con una fachada tan rebosante de finísimo mármol que parece un pedazo de encaje almidonado. Estás empezando a acostumbrarte a saltar a pontones y muelles ligeramente tambaleantes, y te las arreglas para entrar en el edificio como si llevaras toda la vida utilizando el barco como medio de transporte.

El interior es un torbellino de candelabros, pilares y tapices, y ves una pequeña multitud de gente con vestimentas impecables que conversan en distintos idiomas por encima de los acordes de un cuarteto de cuerda. Parpadeas, ¿los de aquella esquina no son algunos de los jóvenes Grimaldi? Pero es imposible estar seguro porque casi todo el mundo lleva máscara. A tu alrededor ves muchas personas compartiendo besos al aire y risas mientras los camareros, ataviados con galas dieciochescas, distribuyen copas de Prosecco y exquisitos canapés.

Entonces alguien se pone a dar palmas y todos os desplazáis en dirección a un larguísimo salón en el que han dispuesto las sillas para tomar asiento frente a un estrado. El director encabeza la pequeña orquesta que inicia la obertura de *La Traviata* después de los aplausos.

Estás sentada entre los dos Claudios, que te han conseguido un programa con relieves, y en seguida te dejas llevar por la música. La experiencia es muy distinta cuando la ópera es tan cercana y personal como esa. Los cantantes están a escasos metros de distancia, y te das cuenta sorprendida de que estás disfrutando mucho.

Pero resulta que hay una serpiente en el paraíso. A mitad del primer acto el anciano te desliza la mano por el muslo. Te la quitas de encima y la desplazas en su dirección, pero él cree que estás jugando a algo porque pocos minutos después la mano vuelve.

—¡Por favor, para! —le siseas. Pero la única respuesta que recibes es una sonrisa lasciva —que es lo único que puedes ver asomar por debajo de su máscara—, y su mano trepa un poco más arriba. Vaya. A base de cruzar mucho las piernas y revolverte en el asiento, consigues llegar al final del primer acto relativamente ilesa, pero cuando los intérpretes saludan y abandonan el estrado, comprendes que necesitas refuerzos.

—Lo lamento —le susurras al joven Claudio al oído—, pero necesito cambiarte el sitio. Emmm, tu padre...

Por suerte capta el mensaje en seguida, fulmina a su padre con la mirada y murmura:

—No te preocupes. —Todos os trasladáis a otra sala incluso más deslumbrante que la anterior para disfrutar del segundo acto y, en el último segundo, tú y Claudio os cambiáis el sitio.

Esto está mucho mejor. Empiezas a relajarte y a abandonarte a la magia de la experiencia: tu vestido de cuento de hadas, la sala llena de desconocidos enmascarados, el Prosecco silbándote en las venas, las románticas y remotamente conocidas arias. ¿Son imaginaciones tuyas o Claudio ha pegado la pierna a la tuya? Apoyas la mano junto a él y no se aparta. Y ahora su mano te está acariciando el hombro. Te parece una muy buena señal hasta que te das cuenta de que Claudio tiene las dos manos sobre el regazo. Oh, no. Claudio *senior* ha estirado el brazo por detrás de su hijo y te está dando un masaje. ¿Y ahora qué?

Decides que los momentos desesperados precisan medidas desesperadas, y en cuanto te deshaces del viejo verde, te acurrucas contra Claudio pegándote a su cuerpo. Él te lanza una mirada sorprendida, luego capta el mensaje, y te rodea los hombros con el brazo actuando como barrera humana. Notas la calidez y la sequedad de su mano sobre tu piel desnuda y te estremeces.

El segundo acto acaba demasiado rápido y todo el mundo se levanta para trasladarse a otra sala y tomar más Prosecco. Te paseas por la sala para observar de cerca un cuadro de una *madonna* del Renacimiento, y cuando levantas la mirada te das cuenta de que ya está casi vacía.

Pero Claudio está en la puerta. Una visión imponente ataviada con una capa y sombrero de bandolero. Te hace gestos para que le sigas. Pero en lugar de guiarte de nuevo hacia la ópera, se mete en un pasillo oscuro. Lo sigues un poco sorprendida, pero se detiene para no dejarte muy atrás, y para tu deleite te da un rápido y abrasador beso en los labios.

Luego retoma sus pasos con la capa flotando alrededor de sus piernas. Buscas su mano para detenerlo, y esta vez eres tú quien le besa ansiosa por esa voluptuosa boca. Te sujeta a cierta distancia y te observa: sus ojos brillan dentro de los agujeros de su máscara. Entonces asiente satisfecho, se lleva tu mano a los labios con cortesía, y te guía por la lujosa mansión hasta bajar una escalera y colarse por lo que parece un túnel secreto sin soltarte la mano en ningún momento.

Un segundo después te encuentras de nuevo al amparo del aire de la noche junto a un tranquilo canal. Claudio sigue avanzando y tú le sigues. Te alegras de haberte decantado por las bailarinas, al ritmo que vais, si llevaras tacones ya te habrías roto el cuello. Dobláis una esquina y pasáis bajo un arco que conduce a un callejón sin salida: otro canal. La luz es tenue, procede de una de esas farolas antiguas que hay por toda Venecia. Claudio te coloca bajo el arco y te pega a su cuerpo.

Te halaga sentir la presión de una importante erección, ¿quién te iba a decir que le afectarías de ese modo? Cuando piensas en las máscaras y los disfraces y en el espacio que os rodea, atrevido y privado a un mismo tiempo, te fundes contra él sintiéndote un poco mareada. Le clavas la pelvis con actitud invitante. Él empieza a rebuscar en el corsé de tu vestido y le murmuras que tenga cuidado con las delicadas plumas, pero cuando consigue sacarte un pecho se te escapa un jadeo. El aire de la noche no es exactamente frío, pero sí ligeramente húmedo, y del agua brotan torbellinos de niebla.

Claudio te acaricia con sus cálidas manos y te pegas a él. Estás disfrutando de su forma de agarrarte y manosearte, de su forma de pasar los dedos por encima de tus pezones duros y erectos.

Tú dejas resbalar las manos por su pecho y te tomas tu tiempo para explorar los músculos que esconde bajo la fina tela de la camisa. Y entonces posas la mano sobre su entrepierna con descaro, y él deja escapar un grave gruñido y se vuelve a perder en tu boca. Notas el suave y frío contacto de su máscara en la cara. Tanto sus labios como su lengua están deliciosamente cálidos en comparación.

Mientras os besáis, Claudio te envuelve caballerosamente en su capa. Una vez a salvo en el capullo, te coge en brazos y te levanta hasta que encuentras una pequeña repisa con los pies, cosa que pone tu pelvis a la misma altura que la suya. Su capa es muy suave y huele a su colonia, y también forma una barrera entre tu piel (y lo que es más importante, tu vestido), y la fría pared de piedra del arco.

—¿Esta es tu capa de invisibilidad? —le preguntas, y te sorprende que suelte una carcajada; nunca pensante que Claudio sería admirador de Harry Potter.

Entretanto, su mano se pelea con las capas de tul que componen tu falda. Se os entrecorta el aliento a ambos cuando encuentra tus medias y los ligueros y la suave extensión de piel que hay entre las prendas.

Entonces susurra:

—¿Estás segura? —y percibes algo en su voz; el acento, que te suena de algo. Vacilas un momento, pero coges su máscara y tiras hacia arriba para revelar su rostro.

Oh, cielo santo. ¡Es Van! Reculas sorprendida.

—¿Qué estás haciendo aquí? —gritas con la voz estrangulada.

—Estoy pasando un buen rato contigo, por si no es lo bastante evidente —dice desconcertado—. ¿Qué problema hay?

—¡Pensaba que eras tu hermano! —ululas con las manos en la cabeza.

—¿Qué? ¡Me tomas el pelo! Quieres decir que…

Parece tan horrorizado como tú.

—Lo siento mucho. Pero lleváis el mismo disfraz y la misma máscara. ¿Cómo iba a saberlo?

—Joder —suelta Van, junto con una retahíla de palabrotas.

No te extraña—. No me lo puedo creer —dice—. Y yo que pensaba que habías caído presa de mis encantos.

¿Qué vas a hacer ahora? Van es increíblemente sexy y estás tan excitada que no tienes claro que te apetezca parar. Pero ¿qué pasa con Claudio? ¡No puedes cambiar de marcha de repente! ¿O sí que puedes?

 Para seguir adelante y acabar lo que has empezado con Van, ve a la página 186

 Para escapar y volver a la ópera, ve a la página 194

Has decidido acabar lo que has empezado con Van

Van tiene el rostro envuelto en sombras y no tienes ni idea de lo que está pensando, pero incluso el más sólido de los egos quedaría tocado en una situación como esta: a nadie le gusta que lo confundan con otro hombre, y mucho menos con un hermano rico y atractivo.

—Van —lo siento—, yo vine a Venecia a ver a Claudio, o por lo menos eso creía. Pero ¿sabes qué? Que el hombre que me ha besado y me ha acariciado, quien me ha deseado y me ha hecho sentir bien, has sido tú. Y yo también te deseo a ti.

Te inclinas hacia delante y le vuelves a besar pegando tus pechos desnudos contra su torso, y después de vacilar un momento, su boca vuelve a moverse contra la tuya.

Esta vez el beso es ansioso y respondes de igual modo. Deseas a este hombre desesperadamente, aquí y ahora, y te peleas con sus pantalones, la verdad es que no estás precisamente familiarizada con los broches de época.

Se ríe de tus desesperados intentos por desabrocharle, te posa la mano sobre su ansiosa polla y te ayuda a liberarla de sus ataduras. Palpita bajo tus dedos, caliente, aterciopelada, y tan dura que puedes notar la vena principal recorriendo su superficie.

De repente te preocupas por el tema de la protección; nunca pensaste que entre los accesorios de aquella noche debías incluir un preservativo, pero milagrosamente Van se ha sacado uno de debajo de la capa. Lo coge con los dientes y los dos alargáis las manos en dirección al tanga que llevas puesto para tirar de él hacia abajo. Te quedas descaradamente desnuda de cintura para abajo.

Te recuestas en sus brazos sin bragas. Tus pechos se balancean libremente por encima del corsé y tienes la delicada falda por encima de la cintura. Pero estás protegida bajo su capa, así que levantas una pierna y la enroscas a su alrededor en un gesto extrañamente atrevido en ti.

Él responde a tu invitación posando la mano entre tus piernas a un provocativo centímetro de tu sexo, y te humedeces ante la expectativa. Entonces sus dedos trepan hacia arriba, primero uno, luego dos, internándose en la cálida humedad que anida entre tus piernas.

—Dios, estás empapada —murmura con el preservativo todavía entre los dientes—. Es sensacional.

—No me hagas suplicar —le respondes cogiendo el pequeño envoltorio de papel de aluminio, abriéndolo y colocándole el preservativo en la polla con cuidado—. Vale, ya estamos listos —murmuras estrechando su cuerpo con la pierna que tienes a su alrededor desesperada por su enorme erección.

Y no te decepciona. Sientes la inmediata presión de su polla ansiosa por adentrarse en ti y el glande juguetea con la entrada de tu coño. Tardas algunos segundos en ajustarte mientras él te agarra del culo con las manos. Entonces empieza a deslizarse hacia adentro; primero lo hace despacio, pero luego te penetra hasta el fondo de una poderosa embestida.

Te encanta sentirlo dentro de ti. Se lo dices mientras empieza a moverse en tu interior, balanceándose primero y luego presionándote con más fuerza y mayor profundidad de forma que te levanta del suelo con cada embestida de su pelvis.

No estás acostumbrada a hacerlo de pie y te sientes rara, pero en el buen sentido. Te tienes que agarrar a Van para no perder el equilibrio, y te entregas a él, especialmente cuando sus embestidas empiezan a ser más poderosas. No puedes evitar gemir al ritmo de sus rítmicos movimientos y te mueres por llegar al orgasmo, pero no estás segura de poder relajarte en esa postura.

Como si te hubiera leído la mente, Van aprieta la tierna carne de tus nalgas, las agarra y te levanta un poco. Ahora puedes rodearle la cintura con ambas piernas, cogerle del cuello y apoyarte contra el muro aprovechando que la fina tela de su capa hace de pantalla protectora con la pared. Las manos de Van te sirven de apoyo mientras sigues ensartada en su erección, y te abandonas por completo a la sensación que te provocan sus embestidas, que cada vez son más profundas y rápidas. Eres vagamente consciente de que los sonidos que haces son amplificados por el arco y sofocados por el agua del canal. Toda la experiencia está rodeada de una mística aura de ensueño.

Empiezas a notar el inicio de un escalofrío y rezas para que Van aguante. Al poco te recorren las primeras oleadas de placer y tu coño se contrae una y otra vez mientras te corres convulsionándote a su alrededor. Notas cómo el orgasmo te recorre el cuerpo mientras gritas de placer ahogando tus gemidos contra su cuello. Luego te agarras a él con flojera en los brazos y rezas para que no te suelte mientras se corre dentro de ti gritando debido a la intensidad del placer.

Un buen rato después de que la Tierra dejara de girar sobre su eje, te desenredas de Van y vuelves a posarte sobre el suelo como si fueras un flácido espagueti. Por suerte, él te coge.

—Vaya —dices. Y él se suma a tu reacción.

—Ya lo creo.

Pasas unos minutos arreglándote la ropa, comprobando que sigues llevando los pendientes y atusándote el pelo. Estás convencida de que tienes pintalabios por todas partes, porque Van lo tiene por toda la cara, además de tener también una capa de la brillantina que la maquilladora te ha puesto en los ojos. Te ríes y utilizas la esquina de su capa para limpiarle.

Al poco ya tenéis un aspecto un poco más respetable.

—Me parece que deberíamos volver con los demás —dices—. No queremos que pidan una patrulla de búsqueda.

Te mira con la cabeza ladeada.

—La verdad es que la ópera no es lo mío. Y esto ha sido estupendo. ¿Por qué no nos vamos? Mañana me voy a esquiar a Zermatt. He quedado con unos amigos que tienen un chalé allí. Tienen todo lo necesario para pasarlo bien, una chimenea y una bañera enorme. ¿Te apuntas?

Eso no te lo esperabas. ¿Y ahora qué? ¿Lo dejas todo y te marchas con Van? Lo cierto es que la propuesta es tentadora, especialmente después del mágico momento que acabáis de compartir. Pero casi no conoces a este tío, quizá sea demasiado salvaje para ti. ¿Y cómo se lo explicarás a Claudio? Puede que lo mejor sea que te quedes aquí. ¿Quién sabe qué otros misterios pueda ofrecerte Venecia todavía?

 Para buscar nuevos horizontes con Van,
ve a la página 191

 Si lo que quieres es separarte de Van,
ve a la página 193

Has decidido marcharte con Van

Observas detenidamente a Van tratando de traspasar su coraza de fanfarrón, su pose de casanova. Las débiles pecas que le salpican la nariz te hacen imaginarlo de niño. Imaginas al niño solitario que debió ser con una madre de la *jet-set* y un padre adicto al flirteo que lo enviaron a internados a otros países. No es de extrañar que se convirtiera en todo un fiestero; debió tener que elegir entre eso o encerrarse en un caparazón aislado.

Te sonríe con esperanza y de repente Venecia se te antoja demasiado formal, demasiado melancólica, un precioso lugar de otro mundo que siempre mira al pasado. Y tampoco le debes ninguna explicación a Claudio, dado que tu relación virtual con él ha resultado ser un espejismo.

Alargas el brazo y le coges la mano. La perspectiva de pasar unos cuantos días de diversión con él, además de la nieve y su brisa chispeante, y sí, también esa bañera para las noches íntimas, te empieza a resultar atractiva. No te haces ninguna ilusión sobre un posible futuro con él, pero quién sabe lo que puede pasar. Por lo menos de esta experiencia sacarás grandes anécdotas que contar a tus nietos. Cuando tengas más de ochenta años, claro.

Le miras a esos ojos grises y sonríes.

—Mmmm, ¿habrá chocolate caliente?

—Puedes estar segura. En realidad, creo que también te puedo garantizar que habrá nata montada. Y en sitios muy interesantes.

—De acuerdo —le dices—. Nos vamos a Zermatt. Vente conmigo al hotel, necesito ayuda para hacer el equipaje.

Esboza una gran sonrisa y, cuando se inclina para volver a besarte, se te ocurre que quizá, sólo quizá, acabes con el Lazzari correcto después de todo.

FINAL

Has apostado por pasar de Van

Le miras a la cara y ves algo en su sonrisa. Esa seguridad que desprende, bueno, en realidad esa seguridad excesiva que tiene te da mala espina. Es demasiado creído.

—Estoy pensando en esa bañera de la que hablabas... Lo decías pensando en nosotros dos solos, ¿no?

—¡Qué va! Ese sitio es una orgía continua. Tengo que admitir que estoy impaciente por ver cómo te enrollas con Rowena. O espera, puede que con Tiffany...

—No vas a ver como me enrollo con nadie, Van. Ha estado muy bien, pero se ha acabado. Ya me las apaño sola.

Y dicho eso, vuelves al *palazzo*. Puede que todavía llegues a tiempo de escuchar la última aria.

 *Ve a la página 194*

Te has reenganchado a la velada de ópera

Una vez de vuelta en el *palazzo,* te las arreglas para encontrar el camino por el laberinto de pasillos del antiguo edificio guiándote por el sonido de la música. De camino te paras en uno de los baños del *palazzo* para retocarte el maquillaje. ¿Cuánto mármol puede caber en una ciudad tan pequeña? No te extraña que se esté hundiendo en el mar.

Cuando vuelves a estar presentable, regresas de puntillas a la sala donde una soprano se está muriendo en los brazos de su amado, un destino que no interfiere en absoluto con su habilidad para cantar a pleno pulmón.

Aguardas hasta que expira tras un *crescendo* de notas, seguido de un estruendoso aplauso y gritos de «¡Brava!» Entonces vuelves con Claudio, que se está poniendo de pie mirando a su alrededor. Lo miras con atención.

—Claudio, eres tú, ¿verdad?

No hay duda de que los ojos que te miran desde el interior de la máscara son de color marrón oscuro.

—Claro que soy yo —te dice—. ¿Dónde te has metido? Estaba un poco preocupado.

—Oh, emmm, he ido a explorar un poco y me he entretenido. Pero no tienes por qué preocuparte, ya estoy aquí.

Te toma del brazo y te acompaña hacia la zona donde los camareros han empezado a circular de nuevo con otra ronda de deliciosos canapés. Un cuarteto de cuerda está interpretando un popurrí de piezas de ópera muy conocidas, y algunas parejas han salido a bailar.

—¿Puedo decirte que esta noche estás preciosa? —te dice muy formal.

—Tú también —le contestas, y cuando te mira sorprendido, añades—: he tenido ayuda. ¿Estás seguro de que Adriana no era hada madrina en otra vida? Le estoy muy agradecida, a ella y a ti, claro, por todo lo que estáis haciendo por mí. Lo de esta noche ha sido extraordinario. ¿Y ahora qué?

—Ahora es cuando te pregunto si me harías el honor de cenar conmigo mañana por la noche. Me gustaría llegar a conocerte un poco mejor, especialmente después de todo lo que has tenido que pasar a manos de mi familia.

Escupes en la copa. ¡Vaya! Si él supiera… Intentas no pensar en las manos de Van ni en lo que acabas de hacer.

—¿Estás bien? —te pregunta Claudio solícito.

—Sí, claro. Sólo se me ha ido por mal sitio. —Esbozas la más brillante de tus sonrisas—. Cenaré contigo encantada, gracias.

—Perfecto. Si hay algún sitio en especial al que te apetezca ir, coméntaselo a Adriana para que pueda reservar. Si no, nos veremos en el hotel a las ocho. Tiene un menú excelente. Te recomiendo el *risotto* con vodka y vieiras.

El resto de la noche se pierde en una bruma de champán, música y luces titilantes. Cuando por fin apoyas la cabeza en la almohada esa noche, estás demasiado cansada siquiera para soñar. Pero algunos segundos antes de quedarte dormida te das

cuenta de que estás bastante emocionada por la cena de mañana. Por fin podrás pasar tiempo de calidad a solas con Claudio.
Puede que al final tengas la oportunidad de protagonizar un
verdadero cuento de hadas.

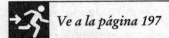 *Ve a la página 197*

Estás cenando con Claudio

Por fin. Ha sido una noche perfecta después de un día perfecto. Has pasado la tarde en el *spa* del hotel, donde te has hecho el paquete completo: masaje facial, manicura y pedicura. La cena parecía una escena de una película en blanco y negro, incluyendo al pianista de la esquina, que no dejaba de repasar clásicos del jazz. Claudio ha sido el acompañante perfecto, ingenioso y encantador. Ha comentado con modestia la carrera de historia que estudió en Cambridge, y el máster que se sacó en una de las mejores escuelas de negocios de Europa. Se ha interesado por todos los aspectos de tu vida: familia, amigos y carrera. Y lo mejor de todo es que no deja de sonreírte. Y cada vez que lo hace, sientes un revoloteo de mariposas en el estómago.

Envalentonada por el vino rosado que te has tomado, le preguntas por qué le interesa tanto tu vida. A fin de cuentas, es completamente distinta a la suya.

Encoge un hombro.

—Ya sé que no tengo motivos para quejarme, pero yo me muevo en círculos muy pequeños: los pocos aristócratas europeos que quedan y algunos nuevos ricos, los oligarcas de Rusia y de otros lugares. Y siempre son los mismos. Las mismas caras, las mismas habladurías, las mismas bodas de alta sociedad y sus trajes de diseño. Ha llegado un punto en el que empiezo a confundir a las mujeres. Están demasiado delgadas, demasiado bronceadas, y resulta muy inquietante que ninguna envejezca. Parecen... —hace una pausa y pellizca el aire con los dedos—, disecadas. Tú eres un soplo de aire fresco comparada con ellas.

Cuando te comes el último bocado de *panna cotta* con salsa de castañas, el camarero os ofrece unos licores. Miras a Claudio: no te puedes estar imaginando ese brillo que ves en sus ojos. Inspiras hondo.

—¿Nos tomamos la última copa en mi suite?

—Me encantaría —dice levantándose con presteza para retirarte la silla. Camináis con seriedad hasta el minúsculo ascensor a pesar de ese aleteo de mariposas: cada vez es más intenso. Pero una vez dentro, Claudio se acerca a ti y te susurra al oído—: ¡Pensaba que no me lo pedirías nunca!

Su boca está a escasos centímetros de la tuya, esa atractiva boca que has imaginado en tantas fantasías, la misma que has fantaseado besar durante tanto tiempo. Tiemblas de deseo y levantas la cara hasta la suya sin apenas poder evitarlo. Separas los labios. Cada una de las células de tu cuerpo está diciendo «por favor, por favor, por favor», y él se acerca a ti, tanto que puedes sentir el calor de su corazón emanando a través de su piel. Y entonces el ascensor se detiene y se abren las puertas.

—*Buona sera!* —canturrea la anciana que está esperando para entrar en el ascensor. Y te haces a un lado para dejarla pasar sonriendo entre dientes.

Coges a Claudio de la mano, y para cuando llegas a tu habitación ya estás tirando de él con desvergüenza. Os tambaleáis al interior de la habitación y al fin os besáis. El beso es caliente e intenso, prácticamente os estáis devorando el uno al otro, vuestras lenguas buscan y empujan, vuestros dientes chocan y os empezáis a desnudar mutuamente. Estás encantada de advertir que Claudio ha dejado de ser un educado caballero para convertirse en un animal. Te empuja hacia la cama y se pelea con sus elegantes ropas sin dejar de besarte, arrastrando los labios por tu cara y tu cuello y mordiéndote los hombros.

Al poco ya sólo lleva unos calzoncillos blancos. Tú llevas tu conjunto de lencería preferido: un sujetador que te hace un escote espectacular y un tanga a juego, todo de seda color marfil con encaje.

Le haces una pirueta, y cuando alarga el brazo para cogerte, te retiras para provocarle.

—No tan deprisa. Lo bueno se hace esperar.

Contoneas la cadera y te llevas las manos a la espalda para desabrocharte el sujetador mientras te bajas las tiras muy despacio hasta dejarlo caer al suelo. Claudio ruge y trata de cogerte. Tú te ríes y corres alrededor de la cama.

—Y para mi siguiente actuación…

Empiezas a quitarte las diminutas braguitas todavía de espaldas pavoneándote ante él. Claudio no lo aguanta más y se abalanza sobre ti.

El sexo no es exactamente como tú esperabas.
Ve a la página 200

El sexo es como soñabas que sería.
Ve a la página 208

El sexo no es exactamente como tú esperabas

Claudio te ha tumbado en la cama y estás completamente desnuda, salvo por el par de tacones de infarto que te has puesto especialmente para esta noche. A juzgar por el apetito con el que te está besando y por cómo te toca las tetas, la sesión de sexo que tanto tiempo llevas imaginando está a punto de hacerse realidad. Te arden todas las zonas del cuerpo donde pone las manos y también otras que ni siquiera te ha rozado.

—Claudio —jadeas—. Mi bolso. Hay un preservativo en el bolsillo interior.

Él se separa de ti y te mira fijamente. Qué... ¿Está haciendo pucheros?

—Pensaba que ya lo tendrías... emmm, controlado. Creía que tomarías la píldora o algo así.

Te lo quedas mirando incrédula desde la cama. ¿No estará esperando que le des explicaciones? ¿En qué siglo vive este hombre?

Capta el mensaje por la expresión de tu cara y resopla:

—Vale, vale, ya lo cojo.

Mientras rebusca en tu bolso y se pone el preservativo, tú intentas recuperar la magia.

—¿Necesitas ayuda? —le ronroneas.

—No, no, ya puedo solo. —Y entonces esboza esa sonrisa que te funde como el chocolate y vuelves a sentir el aleteo de las mariposas en el estómago. Os besáis apasionadamente mientras te separa las piernas y se arrodilla entre ellas.

Claudio tiene prisa, pero no te importa porque tú también, y casi sollozas de placer cuando sientes la presión de su polla contra tu cuerpo y luego dentro de ti, llenándote. Le rodeas el cuello con los brazos murmurando su nombre y entregándote a él para sentir sus embestidas, que cada vez son más y más rápidas; en realidad son tan rápidas que no puedes seguirle el ritmo. Entonces, después de dejar escapar un gruñido y esbozar una mueca, se corre.

Cuando se deja caer sobre ti como si le hubieran disparado, te sientes como un orgasmo vestido para salir sin ningún sitio al que ir y te palpita el coño, pero es de decepción, no de satisfacción. Te reprimes mentalmente y te dices que aunque el sexo haya acabado en dos minutos, sólo ha sido el primer asalto. La noche todavía es muy joven.

Cuando notas que la respiración de Claudio empieza a normalizarse, le das un golpecito en el hombro. Él capta la indirecta y se quita de encima.

—Ahora me toca a mí —le dices con coquetería, pero él te responde con un rugido evasivo.

—¿Claudio? —le presionas—. ¿Y yo qué? Te voy a dar una pista. —Le coges la mano y la posas sobre tu sexo.

Él te mira frunciendo el ceño.

—¿Qué estás haciendo? Un momento, ¿me estás diciendo que no estás satisfecha?

Te quieres morir.

—Disculpa, pero yo doy por hecho que el sexo significa orgasmos en igualdad de oportunidades.

—¿Qué?

Se te queda mirando con cara de no entender nada.

—Se supone que el placer debe ser compartido, ¿sabes? Tu hermano parece entenderlo...

—¿Mi hermano? ¿Tú y Van?

Ups. No era tu intención que se te escapara eso. Claudio tiene pinta de estar a punto de sufrir un ataque nervioso.

—Qué rápida eres. Maldita mentirosa...

—¡La cosa no fue así! Fue un accidente. ¡Te juro que pensaba que eras tú!

—¿Un accidente? No me lo puedo creer. ¿Estás utilizando otra vez la excusa de la confusión de identidad? ¿Acaso tienes la misión de acostarte con todos los miembros de mi familia?

Llegados a este punto los dos estáis en extremos opuestos de la cama y te agarras a una almohada para esconder tu desnudez. Cualquier deseo que pudieras sentir se ha evaporado. Este hombre no es quien tu creías que era, y lo único que quieres es que se marche para poder asaltar el minibar. Sabes que allí encontrarás a tus amigos Cadbury y Pringles.

Por suerte, el sentimiento parece mutuo; nunca has visto a un hombre vistiéndose tan deprisa. Mientras se abrocha los puños suaviza un poco su expresión.

—Te pido disculpas. Lo último que te he dicho es gratuito e injusto. Pero la verdad es que no nos conocemos. Y por lo visto los dos hemos dado cosas por supuestas sobre el otro.

Asientes. Tu enfado también está disminuyendo. Tiene razón, habías proyectado tantas ilusiones en él que le habías convertido en el príncipe azul. Mientras que en realidad es más bien un hombre de negocios bastante tradicional, abrumado por el peso de demasiadas responsabilidades. Y además, piensas con ironía, cuando un hombre es tan rico y tan apuesto, habrá pocas mujeres que estén dispuestas a arriesgarse a perderlo explicándole unas cuantas cosas. Es muy probable que las mujeres que se hayan acostado con él sólo se limitaran a halagarlo.

—Claudio, quizá esto debería ser una despedida. He pasado unos días inolvidables y siempre te estaré agradecida, pero este no es mi mundo.

—Creo que tienes razón. Puedes seguir ocupando la suite lo que queda de semana. Si necesitas cualquier cosa sólo tienes que pedirlo, el hotel se encargará de todo.

Te tiende la mano con formalidad y te das cuenta de que está esperando que se la estreches.

Tiendes la mano sin soltar la almohada.

—Despídete y dale las gracias a Adriana de mi parte.

Y entonces se marcha y con él desaparecen los últimos restos de tu sueño veneciano. Suspiras con fuerza. Por lo menos lo has intentado. Y en cualquier caso sigues teniendo la posibilidad de quedarte durante algunos días más; sería una pena echar a perder la oportunidad. ¿Qué importancia tiene que las cosas con Claudio no hayan salido bien? ¿Por qué no puedes disfrutar de Venecia por tu cuenta? Cuando ya te sientes un poco más animada, te metes en el aseo para darte otro buen baño de burbujas llevándote contigo una gigantesca tableta de chocolate.

* * *

Te despiertan unos suaves golpes en la puerta. Es pronto, ni siquiera son todavía las ocho de la mañana. Te pones la bata y miras por la mirilla. Te sorprende ver a Don Silencioso al otro lado de la puerta. ¿Habrá cambiado de opinión Claudio sobre el asunto de la habitación?

Abres la puerta con cierta inquietud.

—¿Sí?

—*Signorina*. ¿Puedo pasar?

Suspiras y le dejas entrar.

—Ya sé por qué has venido.

Se queda momentáneamente aturdido.

—¿Ah sí?

—Sí. Claudio te envía para que me eches, ¿no? No te preocupes. Me iré encantada.

—No. De ninguna manera. Sólo he venido a preguntarle si necesita algo.

—¿De verdad?

Sonríe y el gesto le cambia la expresión de la cara: deja de ser un hombre inescrutable para convertirse en un tipo cálido y abierto.

—Sí. Ya sé que las cosas entre usted y los Lazzari no han salido bien.

El eufemismo del siglo. Te sientas en la cama. ¿Qué estás haciendo ahí? ¿De verdad pensabas quedarte y dejar que los Lazzari te costearan las vacaciones? De repente lo único que quieres es salir de allí.

—¿Sabes? Creo que lo mejor es que me vaya.

—¿De Venecia? —Parece muy desconcertado.

—Tal vez. Y si no me voy, tendré que buscar otro hotel.

—No será fácil coincidiendo con la Bienal. —Te vuelve a sonreír—. Pero tengo otra idea. Venga, recoja sus cosas.

—¿Adónde vamos? Y, por favor, tutéame.

—Ahora verás.

Metes toda tu ropa en el estómago del bebé elefante y dejas el disfraz de la ópera sobre la cama junto a una nota para Adriana. Lo miras antes de cerrar la puerta y te sorprende no sentir una punzada de arrepentimiento.

Esperabas que salierais en dirección al canal para coger un taxi acuático, pero Don Silencioso se ocupa de tu maleta y te guía por callejones adoquinados que serpentean junto a iglesias con fuentes medievales en la entrada, niños jugando en los patios y ancianos fumando en la puerta de bares de barrio. Al final se detiene ante las rejas de una puerta que se abre en una desgastada pared roja. Los balcones están adornados con macetas de petunias y hay ropa tendida.

Llama a la puerta y la abre una anciana corpulenta. La mujer sonríe y lo abraza.

—¡Damiano! —dice repartiendo besos por toda su cara.

Él se ríe al ver tu expresión.

—Te presento a mi madre.

La mujer te abraza y te planta un beso en cada mejilla.

Te guían por un oscuro y frío vestíbulo, y subís un tramo de escaleras hasta llegar a una minúscula habitación con una cama de hierro antigua cubierta por blanquísimas sábanas. En la pared hay un crucifijo y un viejo escritorio confeccionado con robusta madera vieja de color negro. Todo huele a cera para pulir, y de fondo percibes un toque a fritura de ajo y salvia.

—Esta es tu habitación. No es muy lujosa, pero haremos todo lo que podamos para que estés cómoda. Mi madre no habla mucho inglés, pero tengo la sensación de que os vais a llevar muy bien.

En esa pequeña y tranquila habitación te sientes en seguida como en casa. Sólo los pequeños y coloridos cuadros abstractos que hay colgados en las paredes alteran la sencillísima decoración de la estancia.

—Son bonitos —dices señalando uno. Tu comentario provoca una gran sonrisa y una retahíla de italiano procedente de la madre de Don Silencioso. Él parece un poco avergonzado:

—Son míos.

La sencillez de tu nueva realidad te parece casi un alivio en comparación con la grandilocuencia del hotel y los *palazzos* que has visitado. Suspiras.

—Tengo que volver al trabajo —dice Damiano.

Te das cuenta de que te gustaría que se quedara, y estás a punto de decírselo cuando comenta:

—Quizá podamos cenar juntos esta noche. No será una cena como las que estás acostumbrada, pero…

—Me encantaría.

Te dedica otra de sus cálidas sonrisas y se marcha.

Te sientas en la cama. Puede que Don Silencioso sea el hombre que estabas esperando. Tal vez no sea él. Pero no tienes prisa por averiguarlo. Te pones un par de zapatos cómodos y sonríes para tus adentros. De momento tienes que seguir con tu aventura personal en esa ciudad.

FINAL

El sexo es como soñabas que sería

Te tambaleas hacia la cama y Claudio se inclina sobre ti atrapándote entre sus musculosos brazos.

—No puedo seguir resistiéndome a ti —murmura besándote con más languidez y paseando la lengua por tu boca. Mañana tendrás toda la cara irritada del roce de su barba.

Te acaricia el pelo y la cara, te mordisquea las orejas —primero una y después la otra—, luego desliza la boca por tu cuello y te vuelve loca de deseo. Entonces se va abriendo camino a besos por tus hombros y lo hace provocativamente despacio. Gimes y suplicas, y por fin su lengua encuentra un pezón, luego el otro, y se va alternando para lamerlos y chuparlos agarrándote el pecho con la mano mientras te contoneas debajo de él.

Entonces se retira y tú dejas escapar un pequeño ruido de protesta que se convierte en otro gemido cuando su mano acaricia el minúsculo retal de tela empapado que te oculta el coño. Deja la provocadora mano entre tus piernas y se quita los calzoncillos revelando una gruesa y oscura polla que asoma por entre una lustrosa mata de vello. Entonces te llega el turno y Claudio se toma su tiempo para quitarte el tanga mientras tú balanceas la cadera para ayudarle.

—Separa las piernas para mí —susurra. Estás tan excitada que flexionas las rodillas y las dejas caer a ambos lados exponiéndote por completo a él—. Precioso —murmura volviendo a posar los dedos en los pliegues y hendiduras de tus labios.

—No lo soporto más —consigues decir—. Por favor, hay un preservativo en el bolsillo interior de mi bolso. Por favor, fóllame ya.

Claudio se desliza el preservativo por la erección en un abrir y cerrar de ojos, y luego se coloca entre tus piernas y te eleva un poco el trasero, que sigue al borde de la cama. Con esa maniobra consigue acercarte un poco más a él. Cuando la punta de su polla se sitúa en la entrada de tu coño, te das cuenta de que la postura facilita un fantástico ángulo de contacto. Claudio dibuja círculos con las caderas durante algunos minutos, provocándote, consiguiendo que te contonees y le supliques. Y entonces te penetra hasta el fondo de una suave y profunda embestida.

Jadeas al sentir el diámetro de su polla, que es más ancho de lo que estás acostumbrada. Te levanta los muslos para colocarse tus piernas encima de los hombros echando tu pelvis hacia atrás, cosa que le permite adentrarse en ti unos centímetros más. Tú, que sigues llevando esas delicadas sandalias plateadas de tacón alto, no crees que nadie se haya internado tanto en tu sexo. La sensación es delirante. Separas los brazos abandonándote a la creciente tormenta de placer que descarga sobre tu coño. Los movimientos de Claudio son lentos, pero seguros y profundos, y tu coño empieza a ondear, a contraerse, y a dilatarse. Entonces explotas y te corres una y otra vez. Cuando parece que las oleadas de placer disminuyen, Claudio te vuelve a embestir y tú te arqueas y gimes de nuevo hasta que él también ruge y eyacula balanceando sus firmes nalgas.

Un buen rato después te quita los zapatos, te besa las plantas de los pies y te chupa los dedos (menos mal que te hiciste la pedicura). Entonces su boca trepa lentamente por tu pierna y el placentero círculo se vuelve a poner en marcha. Mucho después te quedas dormida entre sus brazos. Los dos estáis completamente saciados.

Hasta la mañana siguiente, que decidís daros un romántico baño de burbujas juntos. Ya sabías que la bañera era lo bastante grande para dos, y aún así, cuando termináis, hay un poco de agua en el suelo. Los dos oléis como si os hubierais revolcado por un jardín de rosas.

Luego os vestís —los dos estáis hambrientos—, y subís a la terraza de la azotea donde sirven el desayuno. Las vistas de la plateada Basílica de San Marcos, el sereno edificio de la iglesia que hay en la isla de San Giorgio Maggiore, al otro lado de la costa, los mejores huevos Benedict de la historia, y tu propio príncipe azul sonriéndote al otro lado de la mesa. Mejor imposible.

La idílica escena se rompe cuando suena el teléfono de Claudio. Mira la pantalla y esboza una mueca.

—Lo siento, pero me temo que tengo que contestar.

Descuelga y le espeta al auricular:

—*Pronto.* —Y a continuación añade—: Estoy ocupado. Tendrá que esperar.

Pero la voz que habla al otro lado de la línea no quiere aceptar un no por respuesta, y Claudio, que ha empezado a hablar en una ráfaga de rápido italiano, cada vez es más seco.

Al rato cuelga y suspira.

—Debo pedirte disculpas de nuevo. Algunos de los clientes con los que me reuní en Niza han llegado para concretar detalles e insisten en verme ahora. Si pudiera negarme lo haría, pero dicen que no pueden esperar. Espero que no te importe que vengan con nosotros.

Bueno, no es así como esperabas que fuera la mañana, pero estás tan satisfecha que te sientes generosa y le haces un gesto de aprobación con la mano.

—¡Claro!

Algunos minutos después, aparece Don Silencioso acompañando de un grupo de serios ejecutivos. Acercan varias sillas a vuestra mesa y no te gusta nada la forma que tienen de mirarte, como si no existieras, aunque te disgusta todavía más advertir que uno de los caballeros con el pelo muy corto y fríos ojos azules se te queda mirando fijamente los pechos. Mantienen una conversación en francés, aunque, si no te equivocas, algunos de los tipos hablan entre ellos en ruso.

Don Silencioso no se sienta con el resto; se queda de pie apoyado en la pared balanceándose muy suavemente sobre las plantas de los pies. De repente le suena el teléfono y lo busca en un bolsillo de la chaqueta. ¿Un momento, eso es la tira de una cartuchera? Y entonces lo entiendes todo: no es el mayordomo, es el guardaespaldas de Claudio.

De repente todo esto es demasiado para ti. Te lo has pasado divinamente, pero sientes una punzada de nostalgia por la sencilla vida que llevabas en tu casa, donde los cuadros de la pared son hallazgos encontrados en rastros o litografías con algún significado personal, donde no tienes que preocuparte de si rompes la porcelana china cada vez que te tomas una taza de té, donde se te respeta por trabajar duro persiguiendo tu carrera, y no por tu linaje, tu riqueza o aspecto. Por no mencionar que es muy improbable que acabes desayunando con la mafia rusa. Este no es tu mundo.

Te pones de pie y le esbozas a Claudio una pesarosa sonrisa.

—*Grazie mille* —dices en tu mejor italiano, seguido de un—: *Arrivederci*.

Te marchas. Tienes que coger un avión, y si no lo harás muy pronto. Te gusta la idea de volver a casa y contarles tus aventuras a tus amigas.

Y entonces te das cuenta de que volver a casa no es la única opción que tienes. Si has llegado hasta allí, ¿por qué no volver a lanzar los dados para ir a Ámsterdam o a Manhattan? Todavía te quedan vacaciones, y gracias a la generosidad de los Lazzari, este viaje apenas te ha costado nada, así que te lo puedes permitir. Puede que debas olvidar todo lo que ha ocurrido, borrar de tu memoria las experiencias que has vivido en Venecia y comprobar si tu Luciérnaga o el PequeñoChicoHolandés están de humor para recibir visitas.

Para reconectar con tu escultor y averiguar si todavía quiere ponerse manos a la obra, ve a la página 51

 Para contactar con Luciérnaga y descubrir si sigue habiendo fuego tras esa columna de humo, ve a la página 214

Has decidido ir a Nueva York
a ver a Luciérnaga

Una de las cosas que más te gustan de Luciérnaga es que es el
único que no ha visto ninguna fotografía tuya. El Conde y el PequeñoChicoHolandés en seguida pidieron ver tus fotos de perfil,
y te encanta que a Luciérnaga parezca gustarle tu personalidad y
no esté basando su opinión en una selección de fotografías bien
elegidas.

Tardas veinte minutos en encontrar el mensaje correcto. Y
entonces te lanzas:

<¡Ei! Estaba pensando en lo que dijiste y, ¿por qué
no? ¡Conozcámonos! Me vengo a Nueva York>

En cuanto lo envías te asaltan las dudas. ¿Habrás sonado demasiado desesperada? ¿Demasiado directa? ¿Demasiado despreocupada? No sabes qué pensar. Luciérnaga suele contestar
de inmediato, pero no recibes ningún mensaje. ¿Y si no hablaba
en serio cuando te propuso que os conocierais?

Aguantas la respiración.

Pasan diez minutos.

Luego veinte. Te dices que no importa.

Navegas un poco por internet sin quitarle ojo a tu buzón de
lovematch.com. Pasa una hora. Estás convencida de que te has
pasado de la raya, y cuando estás a punto de desconectarte:

<Perdon. El deber me llamaba. La respuesta es:
EN SERIO? PORQUE YO TAMBIÉN QUIERO
CONOCERTE!!!! Cuando? Donde?>

Uffff. Te sorprende lo aliviada que te sientes, pero podría deberse a dos cosas: por un lado, mientras esperabas has pasado el rato buscando *boutiques* exclusivas de Nueva York y ahora te mueres por visitar la ciudad, y por el otro, tienes que reconocer que si te hubiera ignorado durante mucho rato más tu ego habría quedado tocado.

<Un momento>

Entras en tu página de viajes preferida y miras algunos billetes de avión. Hay un vuelo a un precio razonable que llega a Nueva York el miércoles por la tarde. ¿Qué es lo peor que podría pasar? Si su personalidad resulta ser tan atroz como su ortografía siempre puedes dedicarte a las compras y disfrutar de algunas noches en la ciudad que nunca duerme. ¿Quién sabe? Quizá os conozcáis, haya fuegos artificiales y dormir sea lo último que te interese. Tecleas:

<Te parece bien que llegue el miércoles?>
<Guay. ¿Crees que nos podemos encontrar a medianoche en el Empire State? Como en Algo para recordar. Ese día estoy de guardia y salgo a las 11>

Aceptas el punto de encuentro. Es romántico e incluso tú serás capaz de encontrarlo, es difícil pasar por alto el Empire State. Sólo esperas que no te ocurra lo mismo que a Deborah Kerr y te atropelle un taxi. Reservas el vuelo antes de enfriarte y, dudando sólo un momento, reservas también una habitación en un encantador y caro hotel del Lower East Side, justo en el corazón del paraíso de las tiendas *vintage* y a un paseo de Chinatown.

<Muy bien, Luciérnaga. ¡Ya está!>
<Grrrr!!! Te paso mi número por si te pierdes?>

Eso sería lo más sensato, pero no lo más divertido. *Algo para recordar* no habría sido lo mismo si Cary Grant y Deborah Kerr hubieran tenido *Iphones*.

<Conservemos el misterio>
<Vale. Como te reconoceré? Ya se! Por qué no llevamos los dos una rosa roja y una copia de Orgullo y Preguicio?>

Por enésima vez te preguntas si será consciente de que existe un corrector ortográfico. Pero en seguida captas la referencia.

<¡Como en Tienes un e-mail!>
<Ecsacto!>

Dios mío. Este chico está muy en contacto con su lado romántico. Te quedas un rato soñando despierta y te imaginas acurrucándote en el sofá con él viendo un maratón de Nora Ephron y quizá ayudándole a pulir su casco...

* * *

Te abres paso por el pasillo del avión maldiciéndote por haber olvidado hacer el *check in* por internet. La butaca que te han asignado junto a la ventana está justo al fondo del avión, al lado de los lavabos. Por lo menos el asiento contiguo al tuyo está vacío. Te instalas y sacas tu copia de *Orgullo y Prejuicio*. Hace años que no lo lees y en seguida te dejas absorber por la vida de Lizzi Bennet. Pasas las primeras páginas hasta llegar al primer encuentro con el distante señor Darcy.

—Hola.

Levantas la cabeza y ves un tío alto y delgado con una chaqueta de piel negra. Se sienta a tu lado. Normalmente tienes muy mala suerte en los aviones. Por lo general acabas viajando al lado de un bebé que no deja de llorar o de algún hombre gigantesco que apesta a queso. Por eso al ver a ese chico no te puedes creer la suerte que has tenido. Intentas no mirar demasiado fijamente los brillantes ojos azules de tu compañero de butaca. Es hasta demasiado atractivo, lo bastante guapo como para protagonizar una película romántica o de una serie de televisión.

Te aguanta la mirada durante un segundo demasiado largo como para ser sólo un gesto simpático.

—¿Cómo va eso?

—Muy bien, gracias.

Hace un gesto con la cabeza en dirección a tu libro.

—¿Es bueno?

—Es brillante. Es una de esas novelas que se pueden leer una y otra vez.

—Vaya. Yo soy más de Lee Child, pero siempre he querido darles una oportunidad a los clásicos. Pero, por favor, no quiero molestarte.

—Para nada. —Normalmente intentas evitar las conversaciones triviales en los aviones, pero supones que en esta ocasión podrías hacer una excepción. Cierras el libro.

—Y dime —comenta—. ¿Vas a Nueva York por placer o por negocios?

—Placer —le contestas.

Esperas que el placer sea el ingrediente principal de tu viaje.

—Eso es lo que quería oír. ¿Conoces la ciudad?

—La verdad es que no.

—Te va a encantar. ¿Quieres que te recomiende algunas cosas? Yo crecí en el Bronx.

—Sería genial. Gracias.

Apenas te das cuenta de que el avión está despegando porque tu vecino va repasando una lista de las zonas a evitar, consejos para coger el metro, y recomendándote restaurantes y cafeterías poco turísticas.

—¿A qué te dedicas? —le preguntas.

Él vacila un momento.

—Dejémoslo en que viajo mucho.

—Misterioso. ¿Eres escritor de viajes?

—Nada tan glamuroso. ¿Y tú?

Ha esquivado la pregunta, pero decides no presionarlo y le resumes un poco tu vida y tu trabajo. Parece estar sinceramente interesado en lo que dices y la conversación entre vosotros es muy fluida. Te lo estás pasando tan bien que tienes que controlarte y recordarte por qué has decidido ir a Nueva York. Flirtear con los pasajeros altos, morenos y atractivos no formaba parte del plan.

«Piensa en el bombero, piensa en el bombero».

Pero ¿quién puede culparte por animar un poco a tu compañero de viaje? Es espectacularmente guapo, encantador y sociable, y huele a piel y a algo picante que no sabes identificar. Y tú no eres la única que se ha dado cuenta. Uno de los miembros de la tripulación, un diminuto hombre muy acicalado que lleva los pantalones una talla más pequeños, se entretiene más de la cuenta con el carro de las bebidas.

Tu vecino pide una coca *light* y tú te decides por una botella de agua con gas para no parecer una borracha. El azafato se marcha y se traslada a la siguiente fila.

Te quedas helada a medio trago cuando escuchas una voz que se eleva por encima del sonido de fondo del motor.

—¿Qué es toda esta basura? ¡Tráeme una copa de champán ahora mismo!

—Eso es imposible, señor —le contesta el azafato—. Cálmese, por favor.

—He dicho que me traigas champán. Ahora mismo.

—Señor, ya le he dicho que el champán sólo es para nuestros pasajeros de primera clase.

El bebé que está dos filas por delante de ti empieza a berrear molesto por los gritos. Te desabrochas el cinturón y miras por encima de los asientos. El bocazas en cuestión, un hombre con la cabeza afeitada con pinta de luchador profesional sentado al final de la fila central, se pone de pie. El azafato levanta las manos en actitud defensiva.

—Por favor, siéntese, señor. —Le tiembla la barbilla.

—Me gustaría ver cómo me obligas —le espeta el hombretón arrastrando las palabras.

Es evidente que ya se ha tomado unas cuantas copas.

Automáticamente tu compañero de asiento se desliza por el pasillo en dirección a la escenita.

El alborotador aprieta los puños.

—¿Quién narices eres tú?

—Soy el agente Wallace. Seguridad del avión. Siéntese y cálmese ahora mismo o me veré obligado a tomar medidas.

Eso explica por qué era tan reservado sobre su forma de ganarse la vida. Ya has oído decir que los policías del aire deben conservar el anonimato.

El alborotador le clava el dedo en el pecho al policía.

—¿Ah sí? ¿Acaso crees que puedes conmigo?

Entonces tu vecino agarra la muñeca de ese tipo a la velocidad del rayo y le retuerce el brazo por detrás de la espalda.

El rebelde pasajero grita de dolor.

—¡Está bien, está bien!

El policía lo suelta y el hombre de la cabeza afeitada cierra el pico y se sienta mientras el resto de pasajeros aplauden.

—No se mueva —oyes como le dice el policía al avergonzado alborotador. Luego vuelve contigo y esboza una triste sonrisa—. Me encantaría seguir hablando contigo, pero será mejor que me siente cerca de ese tío por si acaso le da por volver a liarla.

—¿Le vas a arrestar?

—Si sigue comportándose así, le denunciaré por meterse con la tripulación del avión.

Hmm... se te ocurren peores cosas que meterte con ese agente en particular. Olvídalo, te dices. Vas de camino a conocer a Luciérnaga, y con un hombre de acción tienes suficiente, ¿no? Aunque tienes que admitir que ha manejado la situación con mucho estilo, y estás empezando a sentirte un poco... acalorada. Necesitas distraerte con algo. Ya te has dado cuenta de que hay una nueva película de Jason Statham entre los largometrajes que se proyectan a bordo, pero si eso no te convence, siempre puedes volver a tu manoseado ejemplar de *Orgullo y Prejuicio*. O quizá sólo necesites dormir un poco, porque no sabes cuánto vas a dormir en Nueva York...

Si decides seguir leyendo Orgullo y Prejuicio,
ve a la página 223

Si decides ver la película de Jason Statham,
ve a la página 230

Si te haces un ovillo en tu asiento para echar una siesta,
ve a la página 235

Has decidido releer *Orgullo y Prejuicio*

El mundo que te rodea desaparece cuando te vuelves a perder en la prosa elegante e ingeniosa de Jane Austen. Has llegado a tu parte preferida de la novela, cuando Elizabeth Bennet visita a la malhumorada lady Catherine de Bourgh. Reclinas el asiento y te acomodas. Estás impaciente por llegar al momento en que aparece el señor Darcy...

Estás en el salón de Rosings Park admirando las vistas, esos pastos verdes y las colinas azules recubiertas por la bruma. De repente se abre la puerta y aparece el señor Darcy, tan despeinado como siempre. Un rizo se descuelga por su frente, y no lleva abrigo. Viste pantalones, unas botas impecables y una elegante camisa de lino a través de la que puedes ver el triángulo de pelo que le crece en el pecho.

Es evidente que está alterado, porque se golpea la fusta de montar contra la suave piel de la bota.

—Mis sentimientos no pueden contenerse. Permítame usted que le manifieste cuán ardientemente la admiro y la amo.

Has proyectado esta escena miles veces en tu cabeza y siempre has querido cambiar algunas cosas. Y ahora tienes la oportunidad.

—Señor —dices levantándote de la silla—, lo único que yo veo en vos es mucho ruido y pocas nueces.

Se queda perplejo.

—Lo que quiero decir es —comentas para explicarte—,que no veo ninguna señal que demuestre vuestro ardor. Me profesáis amor, pero no tengo ninguna prueba tangible. Os exijo una señal de afecto.

Darcy cruza la habitación en tres pasos, te coge de la mano y se la lleva a los labios. El contacto de sus cálidos labios y su aliento en el reverso de tu mano te provocan una corriente que te recorre todas las terminaciones nerviosas, y cuando te gira la mano y empieza a besarte la tersa piel de la muñeca, se te pone la piel de gallina.

Su boca trepa un poco más… y un poco más… Y cuando alcanza el tierno hueco justo donde se flexiona el brazo, gimoteas. Él levanta inmediatamente la cabeza alarmado.

—Os ruego que me disculpéis, ¿la he ofendido? —pregunta.

—Sólo cuando os habéis detenido —le dices ofreciéndole de nuevo tu brazo. Esta vez su boca trepa lentamente por la delicada piel que se extiende entre tu codo y tu axila. Se detiene un momento cuando se encuentra con la pequeña manga de muselina que une tu vestido de corte imperio a tus hombros, y la esquiva para llegar a tu clavícula. Allí hace una pausa eléctrica, y casi puedes escuchar cómo se pregunta si debería atreverse a deslizarse hacia tus pechos, que asoman por el escote de tu vestido, o si subir en busca de tus labios.

Le ayudas a resolver el dilema posando la mano en su nuca y tirando muy despacio de él. Darcy deja escapar un rugido y levanta la cabeza para besarte. Intenta contenerse durante algunos segundos durante los que se limita a posar los labios sobre los tuyos, pero tú te fundes contra él acercándole la cadera invitante. Entonces él abandona cualquier forma de decoro, separa los labios y te mete la lengua en la boca casi devorándote.

Estás a punto de ronronear de satisfacción (siempre supiste que había un tigre escondido tras ese travieso exterior) y placer. Te pones de puntillas mientras él explora tu boca a conciencia, pero es demasiado alto y no aguantas mucho tiempo, así que te deslizas hacia atrás hasta que notas el contacto del pianoforte de lady Catherine en tus piernas, ese instrumento es su mayor orgullo.

Darcy te sigue y observa sorprendido como te agarras a sus hombros y te subes al piano de un salto. Separas las piernas por debajo de la falda y alargas un brazo para agarrarlo de sus preciosas nalgas, tan bien torneadas debido a la gran cantidad de tiempo que pasa montando. Abre los ojos sobresaltado y tiras de él hasta colocarlo entre tus invitantes piernas abiertas.

—Supongo que no…, no pretenderéis que, ¡no puedo poseeros así! —os espeta.

—¿Por qué no? —preguntas levantándote la vaporosa falda. Por suerte recuerdas haber leído que, a pesar de que las damas de la Regencia llevaban prendas de ropa interior como camisas o enaguas, no utilizaban bragas ni pololos (a estos últimos se los consideraba terriblemente sorprendentes porque reseguían el contorno de las piernas). De forma que debajo de las finas capas de tela estás tentadoramente desnuda.

Entonces a Darcy se le ocurre algo.

—Si te poseo no tendrás más opción que aceptar mi proposición de matrimonio. En realidad, si se lo confieso a tu padre, insistirá en que nos casemos en seguida. O podría retarme a un duelo. Y como vos nunca le pondríais en tal peligro, deberíais acompañarme al altar. —Le brillan los ojos—. Así que dejad que os posea, señora.

Le esbozas una sonrisa felina por debajo de los párpados medio cerrados, te reclinas hacia atrás, te subes un poco más la falda y separas un poco más las piernas, justo lo suficiente como para dejarle echar un vistazo por las misteriosas sombras y pliegues que hay debajo.

Él mueve compulsivamente el cuello al tragar y empieza a pelearse con los botones de sus pantalones. Los desabrocha y libera una magnífica e hinchada polla. Al verla, la lujuria palpita en la mitad inferior de tu cuerpo y separas todavía más las piernas recogiéndote la falda en la cintura.

A Darcy por poco se le salen los ojos de las órbitas, y más aún cuando alargas el brazo para tocarte los labios del sexo; te estremeces al descubrir la humedad que anida en él. Con los dedos mojados de tus propios fluidos, alargas la mano en busca de su polla, la estrechas y la acercas a ti. Los dos estáis demasiado hambrientos para los preliminares y balanceas las caderas para llegar a él. Él deja escapar un sonido sofocado cuando la punta de su polla entra en contacto con tu abertura.

—Cielo santo, pareces seda líquida —jadea.

Y entonces te penetra y eres tú quien gime. La tiene grande, muy grande, y te penetra hasta el fondo. Tu coño se recupera del impacto de su impetuosa penetración y se dilata: te asalta una maravillosa sensación de satisfacción.

No dejas de masajearte el clítoris con el dedo porque estás ansiosa por correrte antes que él, y tienes la sensación de que va a ser un polvo salvaje y corto. Y, sin embargo, te embiste una y otra vez demostrando un control de acero. De repente todo tu universo se contrae alrededor de su polla y dentro de tu coño. Sus lentos y profundos movimientos son aros de sensaciones que ondean por la parte inferior de tu cuerpo al mismo tiempo que la temperatura se eleva hasta el punto de ebullición.

Estás a punto de abandonarte al orgasmo cuando escuchas otra voz:

—Darcy, ¡canalla! ¡Yo pretendía cortejarla! —¡Es el primo de Darcy, el Coronel Fitzwilliam! Pero ya es demasiado tarde para la conmoción y el pudor. La enorme polla de Darcy y la magia que está haciendo con tu cuerpo se apoderan de ti y empiezas a sentir los espasmos del orgasmo. El placer te recorre de pies a cabeza y te estremeces de satisfacción.

Entonces te parece ver por el rabillo del ojo que el Coronel está intentando desabrocharse los pantalones con la torpeza propia de un hombre acostumbrado a tener ayuda para vestirse. Cuando lo consigue empieza a acariciarse la polla, no es tan grande como la de Darcy, pero sigue siendo impresionante. Mientras Darcy sigue follándose tu convulsionado cuerpo, el Coronel Fitzwilliam se deja caer en una silla y se abandona completamente a la masturbación.

Entonces llega el turno de Darcy: se le dilatan las pupilas, sus ojos grises se tornan prácticamente negros, y escupe chorro tras chorro de cálido semen en tu convulso coño antes de dejarse caer sobre tu cuerpo. Pero incluso en esa situación sigue siendo el perfecto caballero y se esfuerza por sostener parte de su cuerpo con los brazos para no chafarte.

Sus jadeos se hacen eco de los gruñidos del Coronel y los latidos de tu corazón. Eres consciente de que el semen de Darcy está empezando a gotear por tu sexo, y tienes la sensación de que una taza de aceite cálido resbala por entre tus sensibles tejidos.

En ese momento se oye otro golpe y un grito. Lady Catherine de Bourgh está admirando la escena: tiene la cara violeta y los ojos prácticamente fuera de las órbitas.

—¡¿Cómo osáis corromper así las sombras de Rosings?! —grita. Por un momento crees que se va a desplomar víctima de una apoplejía, pero te sorprende cogiendo la fusta olvidada de Darcy—. ¡Os merecéis todos unos buenos azotes! —aúlla, y descarga toda su fuerza sobre el desnudo trasero de Darcy.

Darcy se aleja de ti aullando de dolor, pero como él nunca pierde los modales, te agarra antes de que te desplomes sobre el piano desnuda de cintura para abajo y te da media vuelta. Sigues teniendo las piernas demasiado débiles para sostener el peso de tu cuerpo y te coges al piano con todas tus fuerzas con la falda alrededor de la cintura.

Se oye otro grito sofocado que indica que el Coronel también ha probado las mieles del látigo de lady Catherine. Ha llegado tu turno. Oyes el crujido de su falda aproximándose a ti y te agarras al piano jadeando. Esbozas una mueca anticipándote al contacto de la fusta con la sensible piel de tus nalgas, pero se hace una pausa y lady Catherine te dice con la voz ronca:

—Siempre la he encontrado muy descarada, señorita. Esos pechos descarados, y ahora estas descaradas nalgas… Entonces una mano demasiado pequeña para ser la de Darcy te acaricia las nalgas desnudas. Pero ¿por qué se está meciendo el piano?

 Ve a la página 235

Has decidido ver la película de Jason Statham

Es una película de acción bastante mala, pero la estás disfrutando mucho. Y hay algo en la confianza que transmite Jason Statham, esa arrogancia y ese cuerpo de nadador, que te recuerdan al policía del aire. En tus oídos suena la banda sonora de una persecución automovilística, te relajas reclinándote en el asiento y cierras los ojos.

Un grito ensordecedor te aleja de tu ensueño.

—¡Que alguien le ayude! —grita el azafato.

Levantas la cabeza y ves cómo el policía se tambalea por el pasillo en tu dirección. Tiene la frente sudada y lleva la camisa desabrochada dejando entrever su musculoso pecho. Consigue llegar hasta ti y te mira con una expresión de pánico que le nubla los ojos azules.

—Te necesito.

—¿Qué ocurre?

—Me han envenenado.

—¿Qué?

—Trabajo para una agencia secreta del gobierno. Sé demasiadas cosas. Me han descubierto. Han debido echarme algo en la comida del avión.

Menos mal que no has comido lasaña de pollo y el estofado de ternera con alubias verdes.

—¿Qué puedo hacer?

—Tengo que subir los niveles de adrenalina de mi organismo aumentando mi ritmo cardíaco o moriré.

—¿Qué? ¿Estás seguro? Eso no tiene ningún sentido.

—Ya sé que parece una locura, pero, por favor, ayúdame. Eres la única persona en la que puedo confiar.

Una hilera de caras sorprendidas te observan por encima de los asientos. Y entonces se te ocurre una cosa. ¿No has visto una situación parecida en una película de Jason Statham? Haces memoria. Sí, lo viste en una película, y te das cuenta de que sabes exactamente lo que tienes que hacer. Te levantas, agarras al policía de las solapas de la camisa y le besas. Los pasajeros jadean a tu alrededor.

—¿Estás mejor? —preguntas.

—Creo que sí. Pero voy a necesitar algo más si quiero acelerar mi ritmo cardíaco.

—No te preocupes —le dices notando como a ti también se te acelera el pulso. Alguien tiene que tomar el mando y deberías ser tú—. Venga —dices—, ayúdenme a meterlo en el servicio.

—Están todos ocupados —gimotea el azafato—. La lasaña…

Miras por encima de él.

—¿Hay algún otro sitio al que podamos ir? Rápido, la vida de este hombre está en juego.

—Al fondo del avión hay una zona privada que utiliza la tripulación.

—Acompáñanos.

Rodeas al policía por la cintura y le ayudas a llegar al fondo del avión, donde cruzáis una pequeña puerta escondida.

—Me estoy debilitando —susurra.

Te detienes un momento para volver a besarle.

La zona de descanso de la tripulación es minúscula y sólo hay dos camastros pequeños separados por una cortina. Esta experiencia de vida o muerte te está haciendo sentir más viva de lo que te has sentido jamás, incluso aunque no sea tu vida la que está en juego.

Y tú no eres la única que se siente más viva. A pesar de su debilitado estado, has advertido el bulto que presiona los pantalones del policía, protuberancia que no tiene nada que ver con el arma que lleva atada a la cadera.

No hay tiempo para preliminares, aunque tampoco es que los necesitéis.

—Túmbate —le ordenas. Sabes que le tienes que mantener lo más excitado que puedas para salvarle la vida. Es un asunto de seguridad nacional. Por no mencionar que está muy bueno y que has querido hacer esto desde que le pusiste los ojos encima.

—No puedo —dice—. Necesito tener el corazón acelerado o dejará de latir.

—No te preocupes —le dices—. Yo te acelero el corazón.

Acto seguido, te pones de rodillas al lado de la cama y le desabrochas a toda prisa el cinturón y el botón de los pantalones, luego sigues con la cremallera y los calzoncillos. Le sacas la polla y te la metes en la boca.

—Oh, Dios, esto sí que funciona —dice Wallace con la voz ronca.

Deslizas la lengua por su erección, que tiene una longitud normal, pero es muy gruesa y cada segundo que pasa se pone más y más dura.

—Oh, Dios mío —repite Wallace cuando le coges los testículos y les das un suave apretón. Entonces te pones manos a la obra y empiezas a deslizar la boca por el glande de su polla utilizando la lengua para reseguir la sensible punta, mientras le masajeas la verga con la mano.

Puede que te den una medalla por salvarle la vida y por haberle hecho la mejor mamada de su vida. Los gruñidos de Wallace cada vez son más fuertes, cosa que es una buena señal para ti, la chica de las mamadas de concurso, pero es mala señal si lo que quieres es salvarle la vida. Si tiene un orgasmo, su ritmo cardíaco disminuirá justo después. ¿Se moriría entonces? Tendrás que seguir follándote a este tío hasta que lleguéis a Nueva York. Has tenido trabajos peores.

Te incorporas y vas repartiendo besos por su cara y su cuello mientras te desnudas. El policía del aire te ayuda y te desabrocha los botones de la camisa mientras tú te quitas las bragas. Te desabrochas el sujetador y le ofreces los pechos.

—Eres increíble —dice alargando el brazo para cogerte—, tengo el corazón a cien.

—Será mejor que lo mantengamos así —le dices y te pones encima de él mirando hacia sus pies.

Le acercas el coño a la cara y aproximas la boca a su erección.

Él se adueña de tu coño con total naturalidad. Notas cómo te desliza la lengua por la abertura provocándote, y te rodea los muslos con los brazos para poder controlar mejor tu posición antes de meterte la lengua dentro.

Tiene la polla más dura que antes, y cuando te la vuelves a meter en la boca notas sus poderosos latidos. Esta vez le rodeas la base con las dos manos y se la chupas muy despacio moviendo la boca al mismo ritmo que su lengua, que no deja de entrar y salir de tu coño. Entonces notas cómo te presiona el clítoris con los dedos y la doble sensación hace palpitar todo tu cuerpo.

Te separas con pesar de la combinación mágica que formaban su lengua y sus dedos, y te deslizas por su cuerpo sin dejar de darle la espalda hasta posarte sobre su erección. Te la metes muy despacio y empiezas a cabalgarlo de espaldas. Apoyas las dos manos sobre sus piernas y él te agarra del trasero y las caderas. Mientras rebotas encima de él una y otra vez, eres consciente de que no te puedes arriesgar a que se corra, así que intentas reducir el ritmo para variar la velocidad de tus movimientos y no pasarte. Pero la sensación es demasiado placentera y vas aumentando la velocidad hasta que lo notas palpitar con fuerza en tu interior. Tu coño empieza a contraerse con la fuerza de un orgasmo que te va a hacer temblar todo el cuerpo como un terremoto. Entonces echas la cabeza hacia atrás y lo notas de verdad, porque todo se ha puesto a temblar. El policía del aire debe estar teniendo el orgasmo de su vida, porque sus embestidas te están sacudiendo como si fueras una muñeca de trapo.

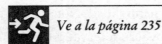 *Ve a la página 235*

Aterrizas en Nueva York

El avión se agita y te despiertas. Oh, no. Además de que el avión está cruzando una zona de turbulencias durante el descenso —que no disfrutas precisamente en el mejor momento de tu vida—, resulta que el policía del aire ha vuelto a su asiento en algún momento y estás apoyada en su hombro. Babeando. Te incorporas, coges tu botella de agua y das un trago.

—¿Has dormido bien? —te pregunta esbozando una sonrisa.

—Emmm… sí —dices sonrojándote—. Siento haberme quedado dormida encima de ti.

—No pasa nada. Ha sido bastante bonito. Estabas hablando en sueños.

—¿Ah sí? ¿Y he dicho algo vergonzoso?

—Depende de lo que entiendas por vergonzoso.

No estás segura de querer saberlo. Este sería un buen momento para cambiar de tema.

—¿Qué ha pasado con ese tío? Ese que estaba causando todos esos problemas.

—Al final se tranquilizó y pidió disculpas. Puede que lo pase por alto.

Guardas silencio hasta que el avión toca tierra veinte minutos después, y el capitán empieza a soltar el típico discurso advirtiendo al pasaje que no se levante de sus asientos hasta que el avión se detenga del todo. En cuanto deja de hablar, todo el mundo se pone de pie y empieza a rebuscar sus cosas en los compartimentos superiores.

—Oye —te dice el policía—. ¿Te apetece que intercambiemos los números de teléfono? Estaba pensando que podríamos tomarnos un café en ese sitio tan chulo del que te estaba hablando. Así te podré contar más cosas sobre la ciudad.

Lo piensas un momento. Un café es inofensivo, ¿no? Y sería genial tener la visión de un neoyorquino antes de quedar con Luciérnaga. Pero tienes que admitir que hay una parte de ti que piensa que si las cosas con el bombero no salen bien...

—¿Por qué no? —le dices. Le das tu número de teléfono y añades el suyo a los contactos etiquetándolo como «poli sexy».

Se levanta y baja vuestras maletas del compartimento dándote la oportunidad perfecta de poder admirar su torso una vez más.

—Espero verte luego —dice con segundas—. Ha sido un placer conocerla, señorita.

—Siento lo de las babas —le espetas mientras se pierde entre la gente que sale del avión. Por suerte no parece que te haya oído.

Todavía un poco atontada de la siesta, pasas el control de inmigración y vas a buscar tu maleta. Buscas al policía, pero parece que haya tomado una ruta distinta en la aduana. Te pones en la cola de los taxis observando divertida que la persona que viene a recoger al alborotador es una mujer sorprendentemente dulce con una pegatina en el Chevrolet en la que pone: «Pórtate bien con América o llevaremos la democracia a tu país».

Cuando el organizador de la cola de los taxis te hace señales para que te acerques al siguiente taxi disponible, te llama la atención un tipo con un abrigo negro que está plantado junto a las puertas de salida. No es tan alto como el policía del aire, pero tiene tanta presencia como él, y además parece estar mirándote. Te lo quedas mirando, pero su siniestra expresión no se altera ni un ápice, y te dices que es más bien un señor Darcy que un Jason Statham. Dos segundos después se pone unas gafas de espejo y se vuelve hacia otro lado. Una parte de ti se siente aliviada. Ya has estado flirteando con un desconocido en el avión, dos podría empezar a considerarse avaricia.

Tu taxi se desliza por la autopista y charlas con el taxista, un chico muy locuaz procedente de Mumbai. Acepta llevarte por la ruta turística sin coste añadido, y reduce la velocidad para que puedas disfrutar de las primeras vistas del *skyline* de Manhattan. Cuando cruzáis el Williamsburg Bridge, distingues la silueta art-decó y la espiral de acero plateado que corona el edificio Chrysler, y la estructura cuadrada y la afilada punta del Empire State, que reconoces en seguida después de haberlo visto en miles de películas y series de televisión, rodeado de un mar de rascacielos igual de emblemáticos. Hace un día precioso, sobre tu cabeza hay un cielo azul, y los rayos del sol ondean sobre el río que se desliza a tus pies. El *ferry* toca la bocina, y a tu izquierda ves un barco lleno de turistas en dirección a Staten Island.

Entonces suena un pitido en tu móvil. Es un mensaje del policía del aire:

«Ha sido genial conocerte. Ya me dirás cuándo quieres que te invite a ese café xx».

Qué rápido. Y no ha hecho ninguna falta de ortografía, cosa que le da más puntos. Por no mencionar los dos besos. Decides no responderle inmediatamente, no quieres que piense que estás demasiado desesperada.

En cuanto el taxi cruza el puente, os adentráis en el tráfico, y el sonido de las bocinas y los gritos te acelera el pulso. ¡Estás en Nueva York! El conductor empieza a callejear sin orden aparente y consigues ver los coloridos carteles y las banderas de Chinatown a lo lejos. Algunos minutos después se detiene delante de un elegante edificio de piedra marrón.

Le pagas al conductor, le agradeces el recorrido, y respiras la primera bocanada de aire neoyorquino. Suponías que la ciudad olería a contaminación o incluso a basura, y sin embargo el primer olor que percibes es el de las galletas que ofrece un vendedor ambulante. Y mientras arrastras la maleta hacia la entrada del hotel, también percibes una fragancia metálica procedente de uno de los respiraderos del metro. Las aceras y calles están tan abarrotadas como esperabas, y te rodea una multitud de personas. Todo el mundo parece tener un destino fijo o ganas de morir. Te detienes un momento para observar a una pareja de ejecutivos que cruzan la carretera de cualquier forma ignorando el tráfico con sus teléfonos móviles pegados a la oreja.

En cuanto entras en el vestíbulo, te alegras de haber sido generosa eligiendo tu hotel y admiras la fachada recién restaurada, sus seguras ventanas y las escaleras metálicas para incendios, que adornan el edificio como si fueran pestañas postizas.

Te identificas en la recepción y te acompañan a tu habitación, que es mucho más espaciosa de lo que esperabas, aunque la ventana da a un bloque de pisos en lugar de a las vistas del contorno de la ciudad que imaginabas.

¿Y ahora qué? ¿Te refrescas un poco y echas una siesta? Aún te queda mucho tiempo antes de la cita con Luciérnaga. Pero tampoco vas a pasar tanto tiempo en la ciudad. ¿De verdad quieres desperdiciar un solo segundo? Esas exclusivas tiendas te están llamando…

 Si decides darte una ducha y dormir un rato, ve a la página 240

 Si lo que quieres es salir directamente, ve a la página 247

Decides darte una ducha y echar una siesta

Te quitas la ropa, abres el grifo del agua hasta que sale ardiendo, y te metes en la espaciosa ducha. El poderoso chorro de agua te acaricia la piel y te enjabonas los pechos y los muslos mientras en tu cabeza se cuela una imagen del esbelto y musculoso cuerpo del policía del aire. No, piensas, no es una buena idea. Cambias la temperatura del agua hasta que sale fría. Aún te quedan varias horas por matar antes de tu cita con Luciérnaga, y no quieres malgastar tus energías. Te secas y deshaces el equipaje. Vaya, el mini vestido negro que has traído está arrugado. Parece que al final tendrás que ir a echarles un vistazo a esas tiendas. Y la verdad es que no quieres malgastar tu primer día en la ciudad que nunca duerme, precisamente durmiendo.

Coges el bolso y bajas al vestíbulo. En cuanto cruzas la puerta del hotel la tranquilidad del interior del vestíbulo da paso al rugido del tráfico. Te paras y lo asimilas todo en pocos segundos. Al otro lado de la calle ves a un tipo con un abrigo esperando en la puerta de una lavandería. Un momento, ¿ese no es el tío que viste en el aeropuerto? ¿Ese tío con pinta de señor Darcy? No puede ser. Das un paso adelante para verlo mejor, pero entonces un camión se para delante de ti y te bloquea la vista. Cuando se marcha, ya no hay ni rastro de ese hombre.

Te encoges de hombros. O ha sido una coincidencia o te estás volviendo loca.

Decides ir hacia la calle Canal y al Bowery, y vas cruzando una calle tras otra delimitadas por edificios de ladrillo granate. Te paras en una cafetería de la que sale un aroma espectacular a pan recién hecho y café tostado, te compras un *bagel* y consigues no acabar ahogada en crema de queso.

Cuando te sientes un poco más enérgica, decides pasear sin ningún destino concreto, pero no te alejas mucho: en seguida te llama la atención la exposición de un escaparate que ves a dos puertas de la cafetería. Los maniquíes de la tienda lucen prendas de lencería francesa, y se nota que son caras. Si al final acaba pasando algo con Luciérnaga, te sentirías mucho más segura con ese encaje francés. Además, hace mucho tiempo que no le haces un buen agujero a tu tarjeta de crédito.

La vendedora, una mujer mayor que luce un traje de Oleg Cassini, te recibe con amabilidad. Te relajas, te preocupaba que una tienda tan exclusiva como esa estuviera regentada por dependientas esnobs completamente intratables.

—¿Está buscando algo especial? —te pregunta.

—Tal vez —le dices—. Tengo una gran noche por delante.

La mujer esboza una sonrisa conspiradora.

—Por favor, tómese el tiempo que quiera.

Te sientes inmediatamente atraída por una hilera de corsés que se abrochan al cuello.

—Oh, sí —canturrea la vendedora—. Estos son muy populares y sorprendentemente cómodos.

Sin mirar la etiqueta del precio, eliges uno en color rosa pálido. Te recuerda a las prendas del siglo XVIII.

La vendedora te acompaña a los probadores que hay al fondo de la tienda y te escondes detrás de una cortina; te desabrochas la blusa y el sujetador y te deslizas en el corsé. La vendedora conoce bien su género: es realmente cómodo. Te ayuda a atarte los lazos de la espalda y te hace una señal para que mires tu reflejo en el espejo ovalado de marco dorado.

—Es increíble —susurras.

La prenda te hace una cintura minúscula y te sorprende que puedas respirar con normalidad.

—Tengo el conjunto perfecto —dice la vendedora. Vuelve con unas bragas de seda francesa, recatadas pero muy sexys. No son tu estilo, pero decides probártelas de todos modos. Te quitas la falda y te las pones encima del tanga.

Entonces abres la cortina del probador para preguntarle su opinión a la vendedora.

—¿Qué le…?

Reprimes un grito al encontrarte de frente con los ojos del hombre del abrigo que te estaba mirando en la puerta del aeropuerto.

—¡Tú! —le espetas—. ¿Me estás siguiendo?

—Sí. —Se mete la mano en el bolsillo y saca una placa oficial—. Agente especial Bourne de Seguridad Nacional, señora. Voy a tener que pedirle que me acompañe.

—¿Qué? —Buscas a la vendedora con los ojos, pero está en la otra esquina de la tienda atendiendo a dos mujeres rellenas de Botox que rebuscan entre los sujetadores con relleno. Te hace una pequeña señal con la mano.

—No quería provocar ningún alboroto y le he dicho que era tu marido —dice el tipo.

—¡Cómo te atreves! —le espetas. Entonces posa los ojos sobre tus pechos, que asoman por encima del corsé. Te cruzas de brazos tratando de conservar la dignidad. Todavía estás intentando encontrarle algún sentido a todo lo que está pasando. ¿De qué va todo esto? ¿Es que te has olvidado de pagar el *bagel*? Aunque tampoco llamarían a Seguridad Nacional por eso.

—Señora, por favor, no monte una escena.

—¿Y qué espera que haga, agente…?

—Bourne.

Le quitas la placa de la mano. Parece auténtica, pero ¿cómo puedes estar segura? Te tomas tu tiempo para examinarla y luego le miras.

—¿En serio? ¿Te llamas Jason Bourne?

Suspira.

—Es desafortunado, pero sí.

—Entonces, ¿esta es tu identidad Bourne?

Eres muy consciente de que lo último que deberías estar haciendo en este momento es gastarle bromas tontas, pero cuando estás nerviosa sueles hablar sin pensar. Y que un agente del gobierno te arreste cuando estás medio desnuda es algo que pondría nerviosa a cualquiera.

No parece que le haya hecho mucha gracia.

—Puede llamar a mi oficina para certificar mi identidad.

Sí, claro, piensas. Como si fueras a llamar a Seguridad Nacional para preguntar si Jason Bourne es uno de sus agentes.

—¿Estoy detenida?

Suspira.

—No, señora. Pero preferiría no hablar de esto aquí. —Mira a la vendedora y a las otras clientas y vuelve a recorrer tu cuerpo medio desnudo con los ojos—. Quizá debería vestirse primero. Luego hablamos.

Te pones roja. Tiene razón. Ya te sientes lo bastante vulnerable. Cierras la cortina con las manos un poco temblorosas y tratas de desabrocharte el corsé. Consigues coger los lazos con los dedos, pero tendrías que ser contorsionista para poder quitártelo tú sola. Asomas la cabeza por la cortina y tratas de llamar la atención de la vendedora. Pero está ocupada contabilizando lo que parecen cientos de dólares en lencería.

—Tendrás que ayudarme —le dices con sequedad al agente—. No me puedo quitar esto yo sola.

Él asiente con cara de póker y se mete contigo en el probador. El diminuto espacio se reduce automáticamente a la mitad. Le das la espalda sin decir una palabra intentando no pensar en lo absurda que es la situación. Se pone tan cerca de ti que su aliento te eriza el vello de la nuca. Mientras te deshace el lazo notas el roce de sus dedos en la piel y el contacto de sus manos en la sensible zona que se extiende entre tus omóplatos.

—Listo —dice con energía, y te das la vuelta para coger la ropa. Pero antes de que puedas cogerla, el corsé se cae al suelo y te quedas solo con las braguitas francesas. Te tapas los pechos con las manos. El agente Bourne se agacha para recoger tu corsé, pero no puedes cogerlo sin apartar la mano. Asientes en dirección a la pequeña silla que hay en la esquina del probador.

—Déjalo ahí.

—Nos vemos fuera —dice con la voz ronca.

Te pones el resto de la ropa, le devuelves el corsé a la dependienta con pesar y sales a la calle.

El agente Bourne está apoyado contra un impecable coche negro con los cristales tintados; tiene aspecto de haberse escapado de una agencia de *castings*. Pero si cree que te vas a meter en ese coche por muchas placas que te haya enseñado, ya lo puede ir olvidando.

—No me pienso subir ahí —le dices—. Esto podría ser una estafa, y tú podrías ser un traficante de esclavos.

—Señora…

Entonces se abre la puerta del conductor y del coche sale una atractiva mujer con una impecable piel morena y el pelo corto. Te sonríe y te tiende la mano.

—Hola —dice—. Soy la agente Petersen. Aduanas.

Te quedas boquiabierta y le estrechas la mano.

—Dice que no se quiere subir al coche —le explica el agente Bourne a la mujer.

Ella vuelve a sonreír enseñando sus perfectos dientes blancos. Es mucho más que atractiva, piensas, es preciosa.

—No la culpo —dice haciendo un gesto en dirección a la cafetería—. ¿Qué te parece si hablamos allí? Y, por favor, llámame Isis.

Cuando te quieres dar cuenta has aceptado su sugerencia. Por lo menos estarás en un lugar público, y la verdad es que tienes curiosidad por saber de qué va todo esto.

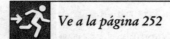 *Ve a la página 252*

Has decidido salir a comprar

Esta ciudad tiene una energía especial. Paseas empapándote de la atmósfera y vas parando de vez en cuando para mirar algún escaparate. Le compras una galleta salada a un vendedor ambulante y te la vas comiendo mientras paseas lamiéndote la sal de los dedos. Entonces te quedas hipnotizada mirando un vestido rojo que ves en el escaparate de una tienda de ropa *vintage*. Es de estilo años cincuenta y se ciñe a las zonas adecuadas; además, parece tu talla.

Se te acelera el corazón. Estarías alucinante con ese vestido. Y tienes los zapatos de tacón perfectos para combinarlo. Entras a toda prisa y te recibe una corpulenta y simpática señora de mediana edad con el pelo moreno peinado estilo casco y los labios pintados de brillante color rosa.

—El vestido rojo del escaparate es fabuloso —le dices.

—¿Verdad que sí? —te contesta efusiva—. Es de Ceil Chapman. —Te explica—. ¿Le gustaría probárselo?

—Por favor. —Esperas mientras la vendedora le quita la prenda al maniquí y dejas resbalar los dedos por las hileras de ropa antigua. La tienda huele a perfume y papel viejo.

Entonces suena un tintineo y te vuelves para ver entrar a una impresionante mujer con el pelo corto. Viste vaqueros y botas altas, y el pañuelo de seda roja que lleva anudado al cuello acentúa su aura de elegancia despreocupada. Es la clase de mujer que suele hacerte sentir anticuada. Te esboza una amigable sonrisa y empieza a curiosear por entre la ropa.

La vendedora te da el vestido y te acompaña hasta el probador explicándote que tendrás que utilizar el espejo que hay fuera.

Consigues meterte en el vestido, pero no puedes subirte la cremallera hasta arriba tú sola. Sales del probador y la preciosa mujer se acerca a ti.

—Permítame —dice. Te abrocha la cremallera bajo la atenta mirada de la vendedora. Luego mira tu reflejo en el espejo y alisa la tela que te cubre los muslos. Tú te sonrojas; si lo hubiera hecho cualquier otra persona te habría parecido horroroso.

—Perfecto —afirma la vendedora.

—No —dice la otra clienta—. No está bien del todo.

Es evidente que su acento es de Nueva York.

Ladeas la cabeza y te vuelves para mirar la espalda del vestido. Estás de acuerdo con ella, te queda demasiado ceñido por debajo de los brazos. Suspiras decepcionada. Valía la pena intentarlo.

—Gracias —dices con pesar volviendo al probador.

Todavía estás en ropa interior cuando esa chica tan elegante asoma la cabeza por la cortina.

—Espero que no te importe —te dice—, pero he visto algo que creo que te quedaría magnífico.

Se cuela en el probador. El ambiente se contagia de su fragancia, un perfume picante y exótico. Te enseña un vestido estilo años veinte de color azul cielo, con una hilera de intrincados botones en la espalda; a ti jamás se te ocurriría fijarte en una prenda como esa.

—No estoy segura de que sea mi color…

Ella sonríe.

—¿Por qué no te lo pruebas? Confía en mí. Venga, deja que te ayude. Levanta los brazos.

No sabes qué pensar de lo que está pasando, pero haces lo que te pide y permites que te deslice el vestido por encima de la cabeza. Notas la fría tela sedosa resbalando por tu piel, y el roce de sus dedos en la cintura y las caderas al bajar la tela. Te estremeces.

—Date la vuelta para que pueda abrocharte.

Mientras te va abrochando los botones uno a uno, te roza la espalda con los dedos. El contacto de sus dedos es ligero y te atreves a pensar que incluso sensual. Estás bastante segura de que te está tirando los tejos, pero por algún motivo no te molesta.

—Ya está. —Se retira para darte espacio y se humedece los labios—. Sal a mirarte.

Sales del probador y te miras en el espejo. Casi no te reconoces. El color te ilumina los ojos y el corte del vestido acentúa todas tus curvas.

—Su amiga tiene muy buen gusto —dice la vendedora.

—No, si no es mi amiga. Nos acabamos de conocer.

Te das la vuelta para darle las gracias a esa mujer tan espectacular, pero no la ves por ningún sitio. Miras dentro del probador y jadeas. ¡Te está registrando el bolso!

—¡Oye! —gritas.

Ella levanta las manos.

—Señora, no es lo que parece.

—Llame a la policía —le dices a la vendedora—. Esta mujer está intentando robarme.

La mujer en cuestión se mete la mano en el bolsillo y saca una placa.

—Eso no hará falta. Yo soy la policía. Agente especial Isis Petersen, de Aduanas. Voy a tener que pedirle que me acompañe.

—¿Disculpe? ¿Que eres qué? ¿y de dónde?

La mujer repite sus datos con paciencia.

—Señora, tengo motivos para sospechar que está usted implicada en una actividad ilícita.

¿Aduanas? Te pones a pensar en busca de alguna misteriosa infracción que pueda haber llamado su atención. Es imposible que te estén siguiendo por el bote de Nutella para emergencias que llevas en la maleta. Y tampoco te pasaste tanto en el *duty-free*. ¿Se tratará de alguna estafa?

Entonces adoptas tu tono de voz más altivo y le dices:

—¿Qué ocurre?

—Preferiría no hablarlo aquí, señora.

—¿Estoy detenida?

—No, señora. Para serle sincera, he venido a pedirle ayuda.

—¿Ayuda?

Asiente.

—Es importante. La esperaré fuera.

La vendedora, que parece tan desconcertada como tú, te ayuda a desabrocharte el vestido. Te pones tu ropa y sales de la tienda a toda prisa.

La agente Petersen te está esperando fuera apoyada en un impecable coche negro con los cristales tintados.

—Señora —dice una grave voz masculina por detrás de ti. Cuando te das la vuelta ves al tipo que estaba en la puerta del aeropuerto. Ese que te recordaba al señor Darcy. ¿Qué narices está pasando?—. Le agradeceríamos que nos acompañara. Te muestra una placa.

—Este es el agente Bourne, de Seguridad Nacional —explica Isis—. Estamos trabajando juntos en este caso.

Estás muy desconcertada. Le echas un vistazo a su identificación y te das cuenta de que su nombre de pila es Jason. ¿Jason Bourne? No crees que los estafadores sean tan tontos, ¿no? Sin embargo, no estás dispuesta a meterte en un coche con esos dos.

Ves una pequeña cafetería al otro lado de la calle junto a lo que parece una fabulosa tienda de lencería.

—¿Si quieren hablar conmigo, por qué no lo hacemos allí?

El tipo misterioso suspira, pero Isis te sonríe.

—Suena bien.

 Ve a la página 252

Vais a la cafetería

Estás muy nerviosa, así que decides pedir un café y un trozo de pastel de chocolate. El chocolate siempre te relaja cuando estás alterada. Isis pide lo mismo que tú, pero el agente Bourne pide un café con leche descremada y una magdalena de avena.

—Bueno —dices cuando se marcha la camarera—, ¿de qué va todo esto?

—Señora, ¿le importaría que le echara un vistazo al contenido de su bolso? —pregunta Isis.

—¿Mi bolso?

—Por favor.

Le tiendes el bolso con curiosidad, y ella se pone un par de guantes y empieza a rebuscar en su interior. No es la primera vez en la vida que te sorprendes pensando que desearías haberlo limpiado. Saca tu copia de *Orgullo y Prejuicio*, un pañuelo viejo, una caja de tampones destrozada, una entrada de teatro de hace tres años, un cepillo de dientes mordisqueado por el perro de tu amiga, y algunos preservativos. El agente Bourne los mira y luego te lanza una mirada. Tú te lo quedas mirando con aire desafiante.

—No se preocupe, mi bolso es mucho peor —dice Isis con alegría—. Es un agujero negro de basura.

Mete la mano en uno de los bolsillos interiores —el bolso tiene varios pero no sueles utilizarlos—, y saca algo que no habías visto en tu vida, una pequeña bolsa de tela. Con mucho cuidado vacía su contenido en un plato y de la bolsita sale una ráfaga de pequeñas piedrecitas acristaladas. No parecen ser nada especial, más bien mugrientos trozos de cristal. Alargas el brazo con intención de tocarlos.

El agente Bourne te coge la mano.

—No.

—¿Qué son?

—Diamantes de sangre —dice Isis.

—¿Diamantes de sangre? ¿Lo decís en serio?

La verdad es que parece muy seria.

—Este pequeño alijo valdría una fortuna en el mercado negro. Yo diría que aquí hay unos cincuenta quilates. Probablemente procedan de Zimbabwe.

Eres vagamente consciente de que esos diamantes de sangre, o de guerra, se extraen de minas ubicadas en zonas en conflicto, a menudo quienes las sacan son niños que trabajan en terribles condiciones. Luego las venden para financiar guerras civiles y terrorismo. ¿No fue el testimonio de una supermodelo a quien un señor de la guerra le había dado «lo que parecían piedras sucias» el que ayudó a condenarlo por crímenes de guerra?

—Pero ¿qué narices hacen en mi bolso?

—Explíquenoslo usted —le espeta el agente Bourne.

—No tengo ni idea.

—¿Por qué no nos explica qué hace en Nueva York?

—Eso no es de su incumbencia.

—Señora, podría haberse metido en un problema muy grave. Será mejor que coopere.

—Pensaba que me había dicho que no estoy detenida.

El agente suspira y se pasa la mano por su corto pelo negro.

—Está bien, está bien —dice—. Emm, estoy aquí porque he quedado con una persona a medianoche. En la azotea del Empire State.

Isis parece confundida, pero el agente Bourne dice:

—¿Cómo en *Algo para Recordar*? —Te sorprende que conozca la película. Puede que todos los agentes de la ley de Nueva York estén en contacto con su faceta más romántica. Entonces saca una libreta—. ¿Y quién es esa persona? ¿Me puede decir su nombre o sus datos de contacto?

—Yo… es que no los sé. —Te estás sonrojando—. Es una especie de cita a ciegas. Nos conocimos en la red y…

—¿Ha venido hasta Nueva York para conocer a un completo desconocido?

El agente Bourne niega con la cabeza, pero Isis te sonríe.

—No es un completo desconocido —le dices poniéndote a la defensiva.

—Yo conocí a mi ex por internet —dice Isis—. Tampoco es para tanto siempre que una tenga cuidado y no se meta en líos.

Cada vez te cae mejor esa mujer.

Entonces se te ocurre una cosa.

—¿No deberíamos estar haciendo esto en comisaría?

—No podemos —dice Isis—. No estamos seguros de quién más puede estar involucrado, o si el sospechoso tiene algún informador en alguna de las agencias del país.

—¿El sospechoso?

—El hombre que se sentó junto a usted en el avión.

—¿El tío bueno? —Deberías empezar a pensar antes de abrir la boca—. ¿Él me metió esto en el bolso? Pero..., pero si es un policía del aire.

—Sí —dice Isis—. Y ya lleva años utilizando su puesto para traer a Estados Unidos diamantes procedentes de países en guerra. Hemos conseguido arrestar a los cabecillas de su cartel, pero sin él todo el caso se podría ir a pique. Creemos que sospechaba que lo estábamos siguiendo y por eso metió los diamantes en su bolso para evitar que lo cogieran.

—Y en algún momento querrá recuperar la mercancía —interviene el agente Bourne—. Necesitamos su ayuda.

Isis posa la mano sobre la tuya.

—Le prometo que estará a salvo en todo momento. ¿Nos ayudará?

 Si decides que es demasiado peligroso y no quieres involucrarte, ve a la página 256

 Si contestas que sí y les quieres ayudar, ve a la página 257

Has decidido que es demasiado peligroso y no te quieres involucrar

Venga ya, eso es patético. ¿Qué clase de persona eres? Lo menos que puedes hacer es entrar ahora mismo en:

http://www.warchild.org/.

 Ve a la página 257

Has decidido ayudar a los agentes a pillar al policía del aire

—Está bien, lo haré —dices. Isis suspira aliviada y el agente Bourne suaviza su gélida expresión—. ¿Cuál es el plan? Y tuteadme, por favor.

—¿Le has dicho dónde te alojas? —te pregunta el agente Bourne.

—No. Pero nos hemos dado los teléfonos y me ha invitado a tomar un café.

Los agentes intercambian una mirada. Coges tu teléfono y les enseñas el mensaje recordando demasiado tarde que habías almacenado su número como «poli sexy». Ahora te avergüenzas de haber pensado que alguien tan retorcido como ese hombre pudiera estar bueno.

—¿Le puedes contestar y decirle que quieres quedar? —te pregunta Isis.

Escribes el mensaje con los dedos temblorosos debido a la mezcla de adrenalina, azúcar y cafeína.

«Hola. Me encantaría quedar para tomar ese café.»

Los tres esperáis la respuesta en silencio. Cuando levantas la vista del teléfono te das cuenta de que el agente Bourne te está mirando.

—¿Tengo monos en la cara?

—No, tienes un poco de glaseado en la comisura del labio.

Se inclina hacia delante y te la limpia con suavidad utilizando el pulgar.

Isis lo mira y pone los ojos en blanco.

—Muy fino.

Te sobresaltas cuando oyes vibrar el móvil. Es un mensaje del policía del aire. Lo lees en voz alta.

«Pensaba que ya me habías olvidado. En el Starbucks del Rockefeller Plaza, ¿cuándo te va bien? xx.»

¿Un Starbucks? Menos mal que ibais a quedar en una cafetería íntima. Aunque eso es lo que menos te preocupa.

—Dile que puedes estar allí dentro de treinta minutos —dice Isis.

Haces lo que te pide con las manos temblorosas. Te respondes casi automáticamente.

«Tenemos una cita x.»

—Ya está —dices—. ¿Y ahora qué?

—Te ponemos un micrófono y nos vamos.

Te acompañan al coche y te subes un poco entumecida. El agente Bourne saca un minúsculo micrófono de una caja de acero, y te desabrochas la chaqueta para que te lo pueda enganchar a la blusa. Estás convencida de que puede sentir los acelerados latidos de tu corazón.

—Estás haciendo lo correcto —dice en voz baja mirándote a los ojos—. Gracias.

* * *

Cuando entras en la cafetería tienes la sensación de que se te va a salir el corazón por la boca. El agente Bourne e Isis ya están sentados a una mesa del fondo. Isis finge hablar por teléfono, y el agente Bourne parece perdido en su *kindle*. Por un momento te preguntas qué estará leyendo, pero dudas que sea *Orgullo y Prejuicio*. Te acercas al mostrador y pides un café americano largo pensando que te encantaría poder echarle un chorrito de vodka.

—Gracias por venir —dice una voz junto a tu oído.

Te sobresaltas.

Te vuelves para ver al policía del aire que está demasiado pegado a ti. Ahora sus sorprendentes ojos azules te parecen trozos de hielo, y sus marcadas facciones se te antojan crueles en lugar de atractivas.

—Es un placer —consigues responder.

—¿Nos sentamos?

Le sigues hasta el fondo del local y os sentáis a una mesa junto a una pareja de turistas ingleses que están discutiendo. La mujer no le quita los ojos de encima al policía mientras se quita la chaqueta; debajo lleva una ajustada camiseta negra. No te pasa desapercibido el bulto que asoma por su costado derecho. Y no crees que sea porque se alegra de verte: eso es su pistola.

—¿No tienes calor? —te pregunta.

—Un poco.

No te atreves a quitarte la chaqueta por miedo a que vea el micrófono que llevas prendido a la blusa. Entonces empieza a hablar de cosas sin importancia y te pregunta qué has estado haciendo. Murmuras algo sobre las compras.

—¿Qué tal es el hotel?

—Es precioso.

—¿En qué distrito te alojas?

—Upper East —le mientes. No quieres que ese tío sepa dónde te alojas. Le das un sorbo al café y te quemas la lengua, está demasiado caliente. Miras a Isis de reojo y ella asiente casi de forma imperceptible. Ha llegado el momento. Ahora te toca sacar el Jason Statham o la Gina Carano que llevas dentro. En las películas parece fácil.

—Voy a ir al servicio —dices esforzándote por evitar que te tiemble la voz—. ¿Me vigilas las cosas?

Dejas el bolso en la mesa intentando parecer despreocupada.

Él se encoge de hombros.

—Claro. No te preocupes.

Apenas lo mira. ¿Se habrán equivocado con él los agentes? Pero si han cometido un error, ¿cómo han llegado esos diamantes a tu bolso?

Te vas al baño con las piernas temblorosas. El agente Bourne e Isis te han pedido que abandones la escena lo más rápido posible, pero algo te empuja a parar y darte media vuelta.

El policía del aire está sentado de espaldas a ti. Lo ves coger tu bolso y meter las manos en busca del bolsillo interior.

—¡Alto! —le grita Isis.

El tiempo parece detenerse. Cuando Isis y el agente Bourne corren hacia él, el policía del aire se da media vuelta, saca la pistola y la encañona contra la turista británica. Su pareja grita y se mete debajo de la mesa. Ella palidece y manotea en el aire.

—¡Te dije que deberíamos haber ido a Benidorm!

—Suelta el arma —ordena Isis con serenidad.

—De eso nada —le contesta el policía del aire.

Es un callejón sin salida. Incapaz de comprender de dónde sale el impulso y antes de que puedas siquiera pensarlo, das unos pasos, coges tu café y se lo tiras a la cabeza. El policía se sobresalta sorprendido, suelta la pistola y se lleva la mano a la nuca, que se le ha puesto completamente roja. Ese café estaba muy caliente; le debe doler mucho.

En cuestión de segundos Isis lo inmoviliza en el suelo, le apoya la rodilla en la espalda, y le pone las esposas.

Los demás clientes escapan corriendo, pero tú te quedas clavada en el sitio. Entonces notas una mano sobre el hombro y levantas la cabeza para encontrarte con los oscuros ojos del agente Bourne.

—¿Estás bien? —te pregunta en voz baja.

¿Lo estás? No estás segura.

—Has actuado muy rápido. Lo has hecho muy bien.

Te acompaña hasta la puerta de la cafetería desde donde ya se oyen llegar las sirenas de los coches de policía aproximándose a la escena. Hay demasiada luz y las elevadas voces que te rodean te hacen daño en los oídos.

—Tendrás que acompañarnos a la comisaría para declarar —te dice el agente Bourne con delicadeza—. ¿Te ves capaz?

Te estremeces debido a la adrenalina que todavía te recorre de pies a cabeza y asientes.

El papeleo dura horas, y para cuando Isis y el agente Bourne te dicen que el policía ha hecho una confesión completa y ya te puedes ir, estás exhausta. Miras la hora. Son las siete de la tarde. Todavía quedan unas cuantas horas antes de ir a la cita con Luciérnaga. Ya no estás segura de estar de humor, pero sería una crueldad dejarlo colgado. Recoges tus cosas. Se han quedado tu bolso como prueba, pero Isis te ha traído un bolso del departamento de policía de Nueva York para que puedas meter en él todas tus cosas.

—Uno de nosotros te llevará al hotel —te dice Isis—. ¿Alguna preferencia?

 Si decides ir con el agente Bourne, ve a la página 263

 Si prefieres que te lleve Isis, ve a la página 278

Has decidido ir con el agente Bourne

Durante los primeros minutos del trayecto ninguno de los dos dice una sola palabra. Y entonces, una vez superado el tráfico de Broadway, el agente Bourne te pregunta:

—¿Tienes hambre?

Te ruge el estómago y te das cuenta de que estás hambrienta.

—Conozco un sitio estupendo donde podemos comer algo.

Te mira y sonríe por primera vez. El gesto le transforma la cara y se lleva cualquier rastro de su actitud distante. Valoras su oferta. Después de todo lo que ha pasado no estás segura de querer estar sola, y puede que exista la posibilidad de que sea todo un señor Darcy, espinoso por fuera y delicado por dentro.

—¿Por qué no? —le contestas.

—Genial. —Te vuelve a sonreír—. Oye, ya sé que quizá te he dado la impresión de ser un poco distante. Sólo es una actitud profesional.

—No pasa nada —le dices—. Ya lo entiendo.

Sigues sintiéndote un poco frágil después de tu aventura, así que apenas te fijas en los alrededores hasta que te das cuenta de que vais en dirección a Williamsburg Bridge, dejando atrás las luces de Manhattan.

—¿Has estado en Brooklyn alguna vez? —te pregunta. Niegas con la cabeza. Te explica que creció en Brooklyn Heights antes de que se masificara y los precios de la vivienda acabaran con los autóctonos—. Me mudé a Williamsburg hace algunos años —dice—. Me estoy acostumbrando al barrio.

Pasáis por una calle llena de panaderías artesanas, tiendas *vintage* y grupos de *hipsters* tomando café y fumando. Es un barrio artístico; la verdad es que no esperabas que alguien que parece tan convencional como el agente Bourne viviera en un sitio como ese. Dobla por una calle con árboles, cuyas hojas empiezan a vestirse de tonos naranjas y amarillos debido al comienzo del otoño, y aparca delante de un edificio de apartamentos con la puerta roja.

—¿Es aquí? —preguntas—. A mí no me parece que esto sea un restaurante.

Te vuelve a sonreír.

—Primero tengo que hacer un recado, si no te importa.

Abre la puerta y te invita a pasar a un vestíbulo que huele a lavanda y cebollas fritas. Tu estómago vuelve a rugir. Le sigues escaleras arriba hasta alcanzar otra puerta roja, y en cuanto la abre se te tira encima una bola de lana.

Agachas la vista y ves un pequeño caniche blanco que da minúsculos ladridos mientras revolotea alrededor de las piernas del agente Bourne.

—Este es *Manchee*.

Manchee se relaja un poco, se sienta a tus pies y levanta una pata. Te pones de rodillas y se la estrechas con suavidad.

El agente Bourne sonríe con aprobación.

—Le gustas. No se lo hace a todo el mundo.

—Es muy bonito. —Vuelves a acariciar al perro y te pones de pie—. No pareces un amante de los animales.

—Ya. Me lo dicen mucho. *Manchee* era el perro de un anciano del bloque. Digamos que yo lo heredé cuando murió.

Estás empezando a darte cuenta de cómo es ese tío, y la pose distante no es más que una fachada.

Le sigues por su apartamento. Es cálido y austero, refleja lo poco que sabes de su personalidad: paredes de ladrillo, suelos de madera y una librería llena hasta los topes, desde ficción hasta novela negra.

—Tengo que sacar a pasear a *Manchee* —te explica—. ¿Te apetece venir con nosotros?

Asientes. Lo que necesitas es un poco de aire fresco. Mientras el perrito revolotea por entre tus pies, paseáis por el vecindario compartiendo un silencio sorprendentemente cómodo. Os dirigís a una fábrica de ladrillos abandonada que hay junto al río. Un grupo de chavales que pasan el rato al otro lado de la calle le gritan saludos a Bourne, y el agente conversa un poco con ellos en español. Al doblar una esquina, ves las luces de Manhattan brillando a lo lejos. Todo parece un poco irreal.

Te detienes un momento e inspiras una bocanada de aire con sabor a sal.

—Menudo día —dices.

Y entonces, sin aviso previo, empiezas a temblar y notas una fuerte presión en el pecho. Y te pones a sollozar.

—Oye —te dice el agente Bourne con suavidad rodeándote con los brazos. Mientras te esfuerzas por recuperar el control, apoyas la cabeza en su pecho. Él te rodea con su abrigo, y la calidez que desprende su cuerpo te hace entrar en calor—. Es la conmoción —susurra—. Una reacción retardada. Es perfectamente normal.

No dejas de temblar hasta varios minutos después, pero ahora te sientes mejor. Das un paso atrás y *Manchee* te posa las patas delanteras en la pierna gimoteando. Te limpias los ojos y le acaricias la cabeza.

—Lo siento —le dices al agente Bourne—. Te he mojado la camisa.

—No pasa nada. Creo que deberías comer algo. ¿Volvemos a casa?

Durante el camino de vuelta le preguntas por su vida y su carrera. Te cuenta que se unió a las fuerzas de Seguridad Nacional hace diez años después de pasar un tiempo en el ejército. Mantiene una relación cordial con su ex mujer, y no tiene hijos. Te sorprende lo abierto que es hablando de su vida privada y te lo estás pasando tan bien que el paseo de regreso se te antoja demasiado corto.

Una vez en el apartamento te pregunta:

—¿Te parece bien si cocinamos algo aquí?

—Suena bien.

Pone un poco de música, un *blues* lento. Le acompañas a la cocina, que parece la habitación más grande de todo el apartamento. En cuanto entras te das cuenta de que está equipada como si fuera la cocina de un profesional. Los estantes están llenos de hierbas y especias, tarros de legumbres, y botellas de aceite de oliva.

Le da de comer a *Manchee*, y luego te sirve una copa de vino tinto. Das un sorbo y buscas un sitio donde poder sentarte.

—Aquí —dice. Y antes de que puedas detenerlo, te coge por la cintura y te levanta hasta sentarte sobre el espacioso mostrador—. Hazme compañía.

Mientras *Manchee* se tumba a sus pies, él se quita la chaqueta, se arremanga dejando entrever sus musculosos antebrazos, y saca un par de cebollas del cesto de las verduras.

—¿Te gusta la cocina cubana? —te pregunta—. Está buenísima. Mi abuela me enseñó.

—No conozco muchos platos, pero eso que acabas de decir sobre tu abuela parece una buena recomendación.

Le observas trocear las cebollas. Luego pica un fragante manojo de cilantro, lo mezcla con chiles verdes y ajo, y lo riega todo con zumo de lima.

—Tengo un filete de atún fresco —dice—. Creo que podemos combinarlo con fríjoles negros —que son alubias negras—, y una salsa.

Escarba en su nevera y saca unos tarros de salsas caseras. Cuando unta el pescado con la mezcla de hierbas verdes y se lo añade a las cebollas, se te hace la boca agua. El pescado sisea en la sartén y percibes los efluvios de un aroma delicioso.

—Toma, prueba esto.

Te ofrece una cucharada de una salsa picante y luego te limpia la comisura de los labios con los dedos. Y entonces, sin previo aviso, te besa, y te asalta una sensación reconfortante, natural y muy excitante, todo al mismo tiempo. Suspiras, le rodeas el cuello con los brazos y te apoyas en él.

Si no quieres parar, ve a la página 269

 Si crees que sería más prudente parar,
ve a la página 273

No *quieres parar*

—Esto es muy poco profesional por mi parte. Eres una testigo —murmura repartiendo besos por tu cuello.

Tú echas la cabeza hacia atrás para facilitarle el acceso. Después de los sobresaltos del día no quieres pensar en nada, sólo deseas abandonarte a las sensaciones. Y en este momento lo único que te interesa es la sensación de esa boca mordisqueándote el hombro y subiendo por tu mandíbula.

—Pero yo no soy profesional —susurras—. Seguro que eso nos da más libertad.

Deslizas la lengua con delicadeza por el exterior de su oreja. Se estremece y le rodeas la cintura con las piernas: ya no puede escapar.

Entonces os volvéis a besar con intensidad aferrados el uno a la espalda del otro y tirándoos de la ropa mutuamente.

—Espera —dice. Y tú gimoteas:

—No quiero.

Se ríe y alarga el brazo para apagar el gas de la cocina y apartar tu copa de vino del peligro.

Tú te peleas con tu chaqueta y te empiezas a desabrochar la blusa. Él te agarra los pechos con impaciencia, que todavía siguen protegidos bajo el sujetador. Arqueas la cadera y la pegas con más firmeza a su entrepierna, donde rozas el bulto que asoma por sus pantalones. Te olvidas de tus botones y tiras de su cinturón y de la bragueta de su pantalón rugiendo de frustración ante la lentitud de tus dedos. Pero entonces encuentras lo que estás buscando: el bulto de su polla erecta clavándose en tu cuerpo por debajo de sus calzoncillos. Y metes la mano dentro para sacarla.

Él ruge y te devuelve el favor rebuscando por debajo de tu falda. Cuando encuentra el elástico de tus bragas, tira de él con tanta fuerza que se rompe.

Oh, Dios, el momento del preservativo. Pero él va por delante de ti. Por suerte recuerda dónde estaban y mete la mano en tu bolso prestado.

—Mira. —Sonríe sacando uno de los preservativos—. ¡He encontrado el contrabando!

—Este sí que es el mejor amigo de una chica. Mucho mejor que cualquier diamante —le dices sin aliento, alargando las manos para ayudarle a ponérselo.

Entonces te inclinas un poco hacia atrás sin dejar de rodearle los hombros con un brazo y sujetándote en el mostrador con el otro. Te penetra con fuerza y tú jadeas cuando se interna profundamente en tu interior. Levantas un poco más las piernas y rodeas su firme espalda con ellas. Ahora el ángulo es más cómodo y encontráis un ritmo perfecto para follaros el uno al otro con fuerza. La penetración es descarada y lujuriosa, pero los besos que la acompañan son apasionadamente románticos. Sus labios y su lengua se mueven con suavidad y ternura en comparación con la dura virilidad que embiste tu sexo.

Y entonces, y demasiado pronto para ti, su cuerpo se sacude y se corre dejando escapar un rugido. Sin dejar de abrazarte, y todavía dentro de ti, se disculpa mientras trata de recuperar el aliento.

—Eso ha sido un *sprint*. ¿Te apetece que vayamos al dormitorio y te enseño la ruta lenta?

* * *

Más tarde, mientras os abrazáis tumbados en su cama, te empiezas a sentir culpable.

—Se supone que he quedado con alguien —dices.

Lo último que quieres es marcharte, pero no puedes soportar pensar que Luciérnaga te estará esperando solo en la azotea del Empire State.

—¿Y si encontramos la forma de avisarle de que no vas a aparecer? —te dice el agente Bourne.

—¿Y cómo lo hago? No tengo su numero de teléfono.

Sonríe, coge su móvil y le pide a la operadora que le pase con el guardia de seguridad del Empire State.

—¿Qué le quieres decir? Le puedo pedir al guardia de seguridad que se lo comunique.

Todavía te sientes un poco culpable por dejar plantado a Luciérnaga, pero te convences de que le puedes enviar un mensaje al día siguiente disculpándote por haberle plantado.

—Dile que no he podido evitar que me retuvieran.

Te acurrucas entre los brazos de Jason Bourne preguntándote adónde irá todo esto, si es que acaba yendo a alguna parte.

Y como si pudiera leerte la mente, te tumba sobre su cuerpo.

—Esto no se acaba aquí —te dice—. Además, tendrás que volver a Nueva York para asistir al juicio, ¿no?

Decides que es más sensato parar

Te escabulles de entre sus brazos. Los dos tenéis la respiración acelerada y te tiembla todo el cuerpo.

—No puedo —le dices—. Nos acabamos de conocer y...

—Ya lo sé. Y tienes que ir a conocer a ese tío.

—Sería una crueldad dejarlo plantado.

Se separa de ti con elegancia.

—Por no mencionar que acostarse con una testigo no es la mejor de las políticas. Lo siento. No tendría que haberte traído.

—No pasa nada. —Te bajas del mostrador—. Será mejor que me vaya.

—No te puedes ir con el estómago vacío.

Sospechas que si te quedas a cenar, no podrás evitar volver a besarle.

—Tengo que irme, de verdad —le dices con pena.

Él asiente.

—Por lo menos déjame que te lleve.

Lo piensas un momento, pero no estás segura de que sea buena idea dejar que un potencial interés amoroso te acompañe a conocer a otro potencial interés amoroso.

—No pasa nada. Cogeré el metro.

Mientras te abrochas la chaqueta, el agente Bourne te explica cómo llegar a la estación de metro más cercana. Y entonces, sin estar muy segura de estar tomando la decisión adecuada, le haces una caricia de despedida a *Manchee* y sales a la noche de Nueva York.

* * *

—Pelham Bay Park. Final de la línea —carraspea una voz automática.

Levantas la vista. Oh, no. Esta no es tu parada. ¡Tenías que bajarte en Grand Central Station!

Después de salir de Williamsburg, y de pararte a comer un perrito caliente con todas las guarniciones posibles, te has dado una ducha rápida en el hotel, te has puesto tu vestido negro, y has decidido coger el metro en lugar de ir en taxi hasta el Empire State, pensando que tenías mucho tiempo. Pero has estado soñando despierta en lugar de prestar atención a las paradas y has acabado al final de la línea, y Dios sabe dónde está eso. Te bajas del tren y les pides a unos chicos con móviles que te ayuden a encontrar tu destino. Te echan una mano: parece muy sencillo. Corres hacia el otro lado de la estación para coger el tren de vuelta.

Te sientas en un banco vacío, y diez minutos después, y sin que haya aparecido todavía el metro, anuncian por megafonía que el servicio va con retraso debido a un accidente en Castle Hill. Media hora después empiezas a ponerte nerviosa. Pasan otros cinco minutos y decides salir de la estación para coger un taxi. Y en cuanto llegas a lo alto de la escalera, aparece el metro; es imposible que te dé tiempo a regresar.

Sales de la estación a toda prisa y echas un vistazo a tu alrededor. La zona no es tan popular como Manhattan y pasan unos buenos veinte minutos hasta que aparece un taxi vacío, pero le pides al conductor que vaya todo lo rápido que pueda. El hombre hace lo que puede, y sin embargo parecen pasar horas hasta que llegáis a Central Park. El taxi sube por Broadway y luego tuerce por una calle menos transitada. Se te escapa un rugido: hay un grupo de trabajadores con chalecos fosforescentes acordonando la zona. Estás atrapada.

—¿Está muy lejos? —le preguntas al conductor.

El hombre te indica. Puedes ir andando desde allí, pero es evidente que llegarás tarde. Te quitas los tacones, sales del taxi, y corres por la acera. De los respiraderos de la acera suben columnas de vaho con un curioso olor a detergente de lavandería. Serpenteas por entre un grupo de chicos con los vaqueros caídos, y una pandilla de turistas coreanos. Casi te chocas contra un grupo de ejecutivos borrachos que salen de un restaurante japonés. Atraviesas su corrillo y pones tu vida en peligro al cruzar la Quinta avenida. Sorteas varios taxis y unos cuantos peatones, y esbozas una mueca cuando oyes la ristra de palabrotas que te dedican.

Cuando por fin entras en el Empire State, te falta el aliento y estás muy sudada. Pagas la entrada a toda prisa y corres hasta el ascensor.

—Venga, venga, venga —murmuras mientras va subiendo hasta la azotea.

—No sufra, encanto —te dice el encargado del ascensor, un anciano de mirada amable—. Si vale la pena, seguirá ahí arriba.

Le sonríes agradecida. Sales del ascensor y caminas en dirección al observatorio principal. Es mucho más grande de lo que habías imaginado y te das cuenta de que podrías no encontrarte con Luciérnaga si él también está paseando en tu busca. Pero a esta hora de la noche ya sólo quedan algunos turistas. Se te acelera el corazón cuando ves a un tipo muy guapo con una chaqueta de piloto apoyado contra un pilar y mirándose el reloj, pero entonces una rubia se acerca a él y se abrazan. A excepción de una atractiva mujer que se muerde las uñas con cara de estar tan perdida como tú, las únicas personas que hay en la azotea ya están emparejadas y, sintiéndote cohibida y sola, te pones a pasear sin prestar apenas atención a las increíbles vistas. Cuando doblas la esquina te dan ganas de ponerte a llorar. Pero entonces algo llama tu atención. En el suelo, junto a los telescopios, hay una copia de *Orgullo y Prejuicio* y una rosa chafada.

Te agachas para cogerlos. Demasiado tarde. Has llegado demasiado tarde.

—¿Eres tú?

Te vuelves y ves a un tipo que parece un oso enorme con un agradable rostro arrugado. Se acerca a ti.

—¿Luciérnaga? —preguntas esperanzada.

—Sí. Soy yo.

No es ni de lejos tan atractivo como el retorcido policía del aire o el agente Jason Bourne, pero sus ojos oscuros son cálidos y expresivos y en seguida te sientes cómoda con él.

—Siento llegar tarde —le dices.

Te sonríe y unas arruguitas asoman a las comisuras de sus ojos.

—Bueno, pero ya estás aquí. Y te habría esperado hasta el amanecer si hubiera hecho falta.

Dios. Te quitas el sombrero ante *lovematch.com*. Por lo visto has encontrado a un tipo realmente dulce. Te alegras de no haberlo dejado plantado.

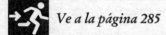 *Ve a la página 285*

Prefieres que te lleve Isis

Isis sortea el tráfico. Frena con brusquedad y toma las curvas con la habilidad de un conductor de *rallies*.

—¿Sabes? —te comenta haciendo una pausa para gritarle a un taxista que le corta el paso—. Cuando te hayas refrescado un poco en el hotel, podríamos ir a comer algo.

¿Por qué no?, piensas. Disfrutas de la compañía de Isis, y así te ahorrarás tener que coger el metro. Es una lástima que no hayas podido comprarte ningún vestido; te tendrás que apañarte con el mini vestido negro que has traído.

Isis aparca en una zona azul a una manzana de tu hotel y deja un letrero en el salpicadero que pone: «De servicio».

—Ventajas de la profesión —afirma.

No puedes pretender que te espere en el coche mientras te cambias, así que la invitas a subir a tu habitación. Cuando recoges la llave te das cuenta de que la recepcionista mira mucho a Isis, es evidente que piensa que sabes elegir las compañías. Mientras subís hasta tu planta en el ascensor, te asalta el aroma picante de su piel. Una vez arriba, la dejas entrar a ella primero en la habitación preguntándote si la tensión que notas entre vosotras será cosa de tu imaginación.

—No está mal —comenta sentándose en la cama—. ¿Te importa que me ponga cómoda?

Le das permiso para que lo haga. Se quita la chaqueta, la deja sobre un sillón, coge el mando a distancia de la televisión y se estira en la cama.

—Creo que me voy a dar un baño si no te importa —le dices.

—Buena idea. Tómate tu tiempo. Aún te quedan unas cuantas horas por delante.

Te preparas un baño lo más caliente que puedes, viertes en el agua todas las sales de baño que encuentras, y te sumerges en el agua sintiendo cómo van desapareciendo las tensiones acumuladas durante el día.

* * *

—¿Va todo bien ahí dentro? —grita Isis al otro lado de la puerta.

Te debes haber quedado dormida. Las burbujas se han disuelto, pero el agua todavía está caliente.

—¡Salgo en un minuto!

Sales de la bañera, te cepillas el pelo, te envuelves en una toalla y vuelves con Isis, que está sentada en la esquina de la cama.

—¿Te sientes mejor? —te pregunta.

Abres la boca para contestarle y, entonces, sin previo aviso, se te entrecorta la respiración y empiezas a sollozar.

—Ei —dice Isis desplazándose por la cama para rodearte con un brazo—. No pasa nada.

—Ni siquiera sé por qué estoy llorando.

—Es el impacto. —Te acaricia el cuello y te das cuenta de lo calientes que tiene las manos.

Te separas de ella y la miras a los ojos, y entonces te desliza el dedo por los labios.

Un momento, ¿qué estás haciendo? Has quedado con Luciérnaga dentro de un par de horas.

—No puedo —le dices—. Me gustaría, pero me he comprometido con otra persona.

Isis suspira, se separa de ti con delicadeza y descuelga las piernas por el lateral de la cama.

—Tienes razón. Y de todos modos sería muy poco profesional por mi parte. A fin de cuentas eres nuestro testigo estrella.

—¿Y qué hacemos ahora? —le preguntas estrechándote la toalla mientras notas todavía el hormigueo en la piel.

Isis te sonríe.

—¿Te apetece que vayamos a comer pato a Chinatown?

—¿Todavía quieres cenar conmigo?

—Claro. No es la primera vez que me rechazan. Sobreviviré.

Dudas mucho que una mujer tan atractiva como Isis haya sufrido muchos rechazos, y te sientes aliviada —aunque debes admitir que también un poco desilusionada—, de que se lo haya tomado tan bien. Todavía te quedan algunas horas por matar y cuando piensas en la comida te ruge el estómago.

—Y conozco un sitio donde nos podemos tomar una copa después de cenar. Está cerca de tu destino final.

Le sonríes.

—Suena bien.

Hacía mucho tiempo que no cenabas tan bien. El restaurante está en los límites de Chinatown, escondido tras una discreta puerta negra. Las dos habéis disfrutado de sendos platos de delicioso pato Pekín con salsa de ciruela, envuelto en esponjosas tortitas. Y el bar que ha elegido Isis, que además está a una manzana del Empire State, es justo la clase de local que te gusta. Os acomodáis en un reservado y ella pide un par de cervezas.

Te tomas un momento para observar a los demás clientes y clavas los ojos en un tipo moreno de hombros anchos que está solo en la barra. Se está tomando un whisky mirando fijamente hacia delante. Entonces ves lo que tiene delante: un ejemplar de *Orgullo y Prejuicio* y una rosa roja. Como si pudiera sentir tu mirada, el tipo se vuelve y se te queda mirando. Sin decir una palabra rebuscas en tu bolso y sacas tu ejemplar.

Se queda con la boca abierta, se recompone, y esboza una enorme sonrisa. Se levanta y se acerca a tu mesa.

Isis te lanza una mirada.

—¿Conoces a este tío?

—¿Luciérnaga? —le dices.

Él asiente. No es tan objetivamente guapo como Jason Bourne o el malvado policía del aire, pero adivinas en él cierta seguridad en sí mismo. Tiene las facciones duras y arrugadas, pero su mirada es amable. Tenías la esperanza de que llevara el traje de bombero, pero no se puede tener todo.

Le lanza una mirada interrogativa a Isis. Es evidente que tiene curiosidad por saber por qué estás acompañada de la que podría ser la mujer más guapa de todo Nueva York. Se lo presentas, y ella recoge sus cosas.

—Será mejor que me vaya. Os dejo que disfrutéis de la noche.

 Si te despides de Isis, ve a la página 283

 Si prefieres pedirle que se quede a tomar la última, ve a la página 291

Te despides de Isis

Acompañas a Isis hasta la puerta.

—Gracias por todo —le dices.

—Debería ser yo quien te diera las gracias. Si no fuera por lo rápido que piensas, la situación en la cafetería se habría descontrolado. —Te da su tarjeta acariciándote la mano disimuladamente—. Y si las cosas no salen bien con tu bombero, ya sabes a quien llamar...

—Gracias. Ha sido... —Buscas la palabra adecuada—. Diferente.

Sonríe, se inclina hacia delante y te da un beso en la mejilla.

—Buena suerte. Estaremos en contacto.

Mientras ves como se marcha perseguida por las lascivas miradas del resto de clientes del bar, no puedes evitar preguntarte qué podría haber pasado.

Vuelves al reservado y compartes una sonrisa con Luciérnaga. En seguida te das cuenta de que te sientes muy cómoda con ese hombre, como si os conocierais de toda la vida.

—Pensaba que no conocías a nadie en Nueva York —te comenta Luciérnaga.

Inspiras hondo.

—Es una larga historia —contestas sumergiéndote en las aventuras de la jornada.

Se nota que sabe escuchar, y como es evidente que está acostumbrado a trabajar con las fuerzas del orden, te hace toda clase de preguntas. Cuando acabas de contarle toda la historia, alarga el brazo por encima de la mesa y te coge de la mano.

—Debes estar exhausta.

Y entonces te das cuenta de que lo último que te apetece hacer en ese momento es dormir.

—En realidad estoy muy despierta.

—Pues en ese caso —dice—, y ya que estamos aquí, ¿por qué no vamos adonde deberíamos habernos encontrado?

—Sería una lástima no hacerlo.

Te da la mano para cruzar la calle. La palma de su mano está cálida y envuelve la tuya por completo, y entonces te das cuenta de que a su lado te sientes completamente segura.

 Ve a la página 285

Estás en la azotea del Empire State

Miras por entre las barras de la azotea y observas la ciudad. Las luces del edificio Chrysler proyectan un halo de color en su cima.

—Menudas vistas —jadeas.

—Ya lo creo —comenta Luciérnaga—. Nunca me canso de verlas. —Te rodea los hombros con el brazo—. Por cierto, quiero darte las gracias por no juzgarme por mi terrible ortografía. Soy un poco disléxico. —Te muestra las manos. Son enormes—. Tampoco ayuda que estos dedos no se lleven muy bien con los teclados.

En ese momento del ascensor sale un hombre sin aliento y los dos observáis como mira a su alrededor y corre hacia la chica con pinta de estar nerviosa que visteis al llegar. Intercambian algunas palabras y luego se abrazan.

—Me parece que no hemos sido los únicos que han tenido esta idea —dices.

Luciérnaga sonríe.

—Espera un momento.

—¿Adónde vas?

—Dame un minuto.

Desaparece en dirección al observatorio y tú te vuelves para contemplar las vistas una vez más sintiéndote completamente en paz. Vuelve pocos minutos después con una botella de Veuve Clicquot y dos vasos.

—Conozco a los de seguridad. Los chicos la han puesto en hielo para mí.

—¿Qué habrías hecho si no hubiera aparecido?

Sonríe.

—Bebérmela yo solo. Tendría que haber ahogado las penas de alguna forma.

Descorcha la botella y os reís cuando las burbujas del champán rebosan por encima de los vasos. Brindáis y tomáis un sorbo del líquido espumoso.

Compartís un cómodo silencio durante algunos minutos mientras bebéis champán. Entonces te quita el vaso de la mano, lo deja en la repisa que hay junto a ti y te dice:

—¿Puedo besarte?

Asientes. Te coge de la cara con las dos manos y te besa. Su lengua es suave y delicada pero insistente a un mismo tiempo, y se te hace un nudo en la garganta del placer que sientes al besarle.

—¿Nos vamos a algún sitio más privado? —susurra.

Vuelves a asentir y regresáis juntos al ascensor con las manos entrelazadas. Aparte del funcionario parecéis ser los únicos pasajeros. Cuando el ascensor empieza a bajar se te ocurre una travesura. Tiras de la mano de Luciérnaga y él inclina la cabeza para acercar la oreja a tu boca.

—¿Qué pasaría si estuviéramos solos y el ascensor se parara aquí mismo? —murmuras.

—¿Te refieres a que alguien apretara el botón de parada?

Asientes.

Luciérnaga se da media vuelta y le dice algo al oído al funcionario. El hombre sonríe y comenta:

—Me voy a tomar un descanso. No te importa ocuparte del ascensor por mí durante quince minutos, ¿verdad, colega? —dice guiñándole el ojo a Luciérnaga.

—Supongo que me las apañaré.

El funcionario sale del ascensor y las puertas se cierran. El ascensor empieza a bajar y Luciérnaga aprieta el botón de parada.

—¿Qué tienes en mente exactamente? —te pregunta.

No te puedes creer que estés siendo tan atrevida.

—Oh, vaya —dices fingiendo hablar en serio—, el ascensor se ha parado, ¿qué vamos a hacer ahora para pasar el rato?

Luciérnaga te coge de las manos, entrelaza los dedos con los tuyos, y te abraza sin dejar de mirarte a los ojos. Por poco te despega los pies del suelo al besarte.

Y no sabes si se debe a los últimos coletazos de excitación del día o si sólo es cosa de su erótico olor y su cercanía, pero jamás has deseado tanto a nadie. Esta es tu fantasía más salvaje hecha realidad, y quieres construir recuerdos que puedas rememorar toda la vida.

—Es la primera vez que hago una cosa así —le confiesas.

—¿A qué parte te refieres? —pregunta.

—Nunca he sentido tanta química con alguien a quien acababa de conocer. Y nunca me he follado a nadie en el ascensor del Empire State.

A Luciérnaga se le ilumina la cara.

—¿Me estás diciendo que quieres…? —Entonces frunce el ceño—. Pero no tengo preservativos. No estaba seguro, quiero decir que… Tenía la esperanza, pero no quería parecer…

Metes la mano en el bolso que te ha dado Isis para reemplazar el tuyo.

—¡Yo he traído uno!

—¿Ah sí?

—¡Pues claro! Ya soy una mujer adulta.

Os besáis durante una eternidad. Le entierras la manos en el pelo y luego las desplazas por sus hombros. Él te acaricia la espalda, los hombros y entonces empieza a tirar del cuello de tu vestido para bajarte los tirantes del sujetador y poder cogerte los pechos. Cuando agacha la cabeza y la entierra en tu canalillo, tú le deslizas las uñas por la espalda.

Buscas su cinturón y le desabrochas los pantalones bajándole la cremallera y metiendo la mano dentro para deslizar los dedos por la endurecida longitud de su polla. Sus manos se cuelan por debajo de tu vestido y te coge del culo mientras te aparta las bragas. El control desaparece por completo cuando tú le agarras la polla con la mano y notas que él te mete dos dedos en el coño y los entierra en tu suave y caliente interior.

Todavía tienes el preservativo en la mano. Rasgas el paquete con los dientes, escupes el trozo de plástico, y te apoyas contra el espejo mientras te ayuda a deslizárselo en la polla, cada uno con una mano. Entonces te levanta como si no pesaras nada y tus tacones se caen al suelo cuando le rodeas la cintura con las piernas. Te apoya contra el espejo y presiona su durísima polla contra tu sexo. Y a continuación se desliza en tu interior de una suave embestida y tienes la sensación de que encajáis a la perfección.

Luciérnaga te penetra una y otra vez adoptando un ritmo que te lleva a las puertas del orgasmo a una velocidad sorprendente. Separa las piernas para no perder el equilibrio y, agarrándote por el trasero, gira y gira contigo en brazos sin dejar de embestir.

Cuando estás a punto de correrte, contraes el coño alrededor de su polla y le arrancas un rugido. Cierras los ojos para disfrutar de sus embestidas durante algunos segundos más. Entonces te corres y la cabeza te empieza a dar vueltas. Luciérnaga se tambalea hacia atrás, se apoya contra el panel de botones y se oye un chasquido: el ascensor se ha vuelto a poner en marcha. Luciérnaga se corre tras cuatro o cinco poderosas embestidas mientras el ascensor se precipita hacia abajo. La sensación de ingravidez multiplica tu delirio.

Tu bombero te vuelve a dejar en el suelo tratando todavía de recuperar el aliento. Los dos acabáis de poneros bien la ropa entre jadeos y risas pocos segundos antes de que el ascensor llegue a la planta baja.

Luciérnaga te coge de la mano y cuando salís juntos recuerdas de repente el envoltorio del preservativo vacío que te has dejado en el suelo del ascensor, el testigo silencioso de una sesión de sexo bastante acalorada. A menos que haya cámaras de seguridad, piensas. Bueno, estás convencida de que no sois los primeros que habéis follado en ese ascensor, pero estás segura de que vuestro polvo ha sido el más apasionado.

—Bueno, ahora que ya hemos roto el hielo, ¿cómo te gustaría pasar el resto de tus días en Nueva York? —te pregunta Luciérnaga.

—Creo que me gustaría conocerte mejor, una y otra vez —le dices cogiéndolo de la cintura.

Le pides a Isis que se quede a tomar la última

Isis pide té helado de Long Island grande para todos. Te tomas el tuyo muy despacio porque es una bebida que puede dar más de una sorpresa. Entonces, envalentonada por el alcohol, le cuentas tus aventuras a Luciérnaga, con el acierto de omitir que el policía del aire te parecía un tío muy sexy. Escucha tu relato con atención interrumpiéndote de vez en cuando para comentar lo mucho que le hubiera gustado que tuvieras su número de teléfono para haberte ayudado.

—Ha estado brillante —dice Isis—. Es muy valiente.

Compartís una sonrisa. Luego la conversación se centra en la carrera de Luciérnaga.

—¿En qué estación de bomberos trabajas? —le pregunta Isis.

—En la *Rescue 1*. Hell's Kitchen.

Isis parece impresionada.

—¿Ah sí? —Te explica que esa estación es un cuerpo de élite de los bomberos de Nueva York, que por desgracia perdieron a más de la mitad de sus hombres durante el atentado a las torres gemelas. Se vuelve hacia ti—. Tu chico los tiene cuadrados.

Luciérnaga se encoge de hombros con modestia, como si ponerse en riesgo a diario no fuera nada especial. Ahora todavía te gusta más.

—¿Crees que nos podrías enseñar la estación? —le preguntas.

—¿Cuándo? ¿Ahora? Es la una de la madrugada. Debes estar exhausta.

Entonces te das cuenta de que el bar se ha quedado vacío y que los empleados están esperando a que os vayáis.

—No estoy nada cansada —dices—. Además, ¿no me prometiste enseñarme tu manguera?

Isis resopla y casi se le sale la bebida por la nariz.

Luciérnaga niega con la cabeza y se ríe.

—Bueno, soy el jefe. Y, además, Isis es una agente del gobierno. No veo por qué no.

—¿Isis? ¿Te apetece?

—Claro —dice acabándose la bebida—. Vamos allá.

Isis para un taxi y os subís los tres detrás. Estás atrapada entre los dos y sus muslos presionan los tuyos. El taxista se cree que está en una película de acción, porque gira bruscamente en cada curva dando unos frenazos que os lanzan a las dos contra Luciérnaga. Él te rodea los hombros con el brazo para agarrarte y tú le dejas. Te acaricia la cintura con los dedos y compartís una sonrisa secreta.

Una vez en la estación de bomberos, Isis y tú entráis detrás de él por una puerta lateral y os hace de guía por la estación, que está muy bien equipada, tiene hasta gimnasio y una cocina muy bien aprovisionada. Cuando Luciérnaga os enseña la sala recreativa, un par de tipos bien fornidos dejan de mirar la televisión un momento.

—Pensaba que no estaba de servicio, jefe —comenta uno de los bomberos echándoos un rápido vistazo a Isis y a ti. Luciérnaga charla con ellos unos minutos y luego os guía hasta un estrecho pasillo cuyas paredes están forradas de avisos.

A continuación abre la puerta del fondo.

—Y aquí es donde descansan los chicos.

Entráis los tres en una enorme habitación en la que hay dos camas, unos cuantos sofás y una nevera.

Te sientas en uno de los cómodos sillones en forma de ele y apoyas los pies en la mesita.

—¿No os asusta hacer lo que hacéis? Me refiero a eso de poner vuestras vidas en riesgo a diario para proteger a otras personas.

Isis se acomoda a tu lado mientras Luciérnaga coge unas cuantas cervezas de la nevera y os ofrece una a cada una.

—Yo ya estoy tan acostumbrada que ni lo pienso —dice Isis—. He querido ser policía desde que tenía cinco años. O algo relacionado. —Pasea los ojos por tu cuerpo con una mirada cargada de insinuaciones.

—¿Queréis que os deje solas? —pregunta Luciérnaga advirtiendo la conexión que hay entre vosotras.

¿Cómo le había pasado por alto?

Estás hecha un lío. Es innegable que te sientes atraída por Isis, no puedes olvidar lo cerca que estuviste de besarla en la habitación de tu hotel. Y luego está Luciérnaga, tu fantasía hecha realidad. Un increíble, atractivo y poderoso bombero que además es evidente que es un tipo dulce, amable y sensible, ¿y ya has mencionado que está muy bueno?

Entonces se oye un clic y la habitación se queda a oscuras.

—¡Otra vez no! —exclama Luciérnaga—. Esta estación es muy antigua y la instalación eléctrica también. Debería haber una linterna, un par de velas y algunas cerillas en el cajón que hay bajo la mesita.

—¿Velas? ¿En una estación de bomberos? —pregunta Isis—. ¿No va contra las normas?

—Sí, pero ¿qué otra cosa podemos hacer? —dice—. Será mejor que vaya a ayudar a los chicos con el generador. Volveré lo más rápido que pueda.

Y entonces oyes como se cierra la puerta cuando sale de la habitación.

Tus ojos se van acostumbrando poco a poco a la oscuridad y ves la silueta de Isis, que trastea con las cerillas para encender las velas. Luego las mete dentro de las botellas vacías.

—He pensado que esto sería mejor que la linterna —dice con la voz ronca.

Con esa luz parece todavía más sexy, si es que eso es posible. En la habitación reina un sorprendente silencio absoluto, lo único que oyes es el pulso de tu corazón latiéndote en las orejas. Isis ladea la cabeza con una pregunta silenciosa en los labios. Estás nerviosa y excitada, pero la excitación gana la partida y asientes con la cabeza.

Tu amiga decide tomar la iniciativa y se acerca a ti, tanto que puedes sentir su aliento en el cuello. Cierras los ojos y pocos segundos después sientes la presión de sus labios sobre los tuyos. Descubres la extraña suavidad de su boca y sientes cómo su lengua resbala por la tuya.

Isis sigue acariciándote la lengua con la suya y levanta la mano izquierda para agarrarte un pecho. Jadeas y le devuelves la caricia deslizándole los dedos por el cuello y el pecho un tanto recelosa. Su cuerpo es muy diferente al de los hombres con los que has estado. Tiene los músculos bien definidos, pero su piel es suave y su cuerpo se curva de la misma forma que el tuyo. Te baja la cremallera del vestido y te desabrocha el sujetador como una profesional, y después desliza un dedo por tu pecho desnudo para estimularte el pezón con los dedos. Cierras los ojos y dejas caer la cabeza hacia atrás. Se os acelera la respiración a las dos.

El sonido de un carraspeo masculino te deja petrificada. Te apartas de Isis y ves a Luciérnaga iluminado por la luz de las velas de pie junto al sofá.

—Lo siento, no pretendía interrumpir —dice sonrojado—. El generador no quiere ponerse en marcha. Stew está intentando arreglarlo y debería estar en forma dentro de quince minutos. Os daré un poco de privacidad.

—No, no te vayas —le dices tirando del vestido para taparte un poco. Es evidente que entre Isis y tú hay química, pero sientes lo mismo por Luciérnaga. Quizá, y sólo quizá, podáis comer los tres del mismo pastel.

—¿Te apetece quedarte? —le preguntas, y entonces te vuelves para mirar a Isis. Ella también tiene que estar de acuerdo con lo que estás proponiendo—. A menos que no te apetezca, Isis.

—Cuantos más, mejor —dice agarrándolo de la muñeca y tirando de él en dirección al sofá—. ¡Oh, capitán, mi capitán

—ronronea cuando las dos notáis el bulto que crece en sus pantalones.

Te arrodillas sobre el sofá y tiras de él. El bombero se une en seguida a vosotras. Quieres que se sienta cómodo, así que le coges la cara con las dos manos y le besas siendo muy consciente del interesante contraste que hay entre él e Isis. Él tiene la cara más grande y más dura y angulosa, y mientras te deleitas en su lengua —más ancha y menos suave que la de la chica—, disfrutas de la deliciosa fricción de su barba incipiente.

Mientras besas a Luciérnaga, Isis vuelve a concentrarse en tu cuello; te lo besa hasta llegar al lóbulo de tu oreja y te acaricia los pechos otra vez. Y entonces los tres os entrelazáis en el sofá hechos una maraña de manos, dedos y lenguas, acariciándoos, tocándoos, animándoos y jadeando.

Te tumbas con los ojos cerrados dejándote arrastrar por el placer de la experiencia. Luciérnaga te baja las bragas y se coloca entre tus piernas. Se te escapa un grito cuando empieza a explorar tu acalorado sexo con la boca. Primero va en busca de tu clítoris y después se centra en la abertura que se esconde entre tus labios inferiores.

Tienes demasiada vergüenza para abrir los ojos. Cuando te vuelven a quitar el vestido, notas una corriente de aire frío en el cuerpo: estás completamente desnuda. Echas cuentas: hay una lengua lamiéndote el coño, dedos regando tus pechos de atenciones, y una segunda lengua recorriendo tu boca, y las tres zonas se combinan provocándote unas oleadas de placer que te recorren todo el cuerpo.

Luciérnaga se pasa tus piernas por encima de los hombros y te frota el clítoris con el pulgar mientras te penetra con la lengua una y otra vez. Entretanto Isis se separa de tu boca con suavidad, se pone de rodillas y va en busca de los pantalones de Luciérnaga. Él deja de hacer lo que está haciendo un segundo para ayudar a Isis a quitarle los vaqueros y los calzoncillos, revelando una gruesa polla completamente firme.

Observas a Isis mientras se quita la camiseta de un único y elegante movimiento. Se queda totalmente desnuda; sólo lleva un tanga. Su torso y sus voluptuosos pechos componen una imagen magnífica a la luz de las velas.

Se arrodilla delante de Luciérnaga y se agacha para pasear la lengua por la punta de su polla antes de metérsela casi toda en la boca. El bombero deja escapar un sonido gutural y se vuelve a concentrar en tu coño deslizando la boca de un extremo a otro de tu abertura. Abrumada por el placer no puedes evitar admirar la espalda y el perfecto trasero de Isis pegados a ti mientras le chupa la polla a Luciérnaga.

Alargas el brazo y le pasas la mano por el culo explorando la sedosa suavidad de su piel. Ella separa un poco los muslos y, empujada por la curiosidad que sientes por su sexo, deslizas el dedo por entre sus nalgas y sigues por su abertura, que está deliciosamente caliente y húmeda. Es un territorio desconocido y familiar a un mismo tiempo. Mientras la exploras con tus curiosos dedos, ella se pega a tu mano pidiendo más. Deslizas un explorador dedo en su interior y las paredes de su sexo se contraen para tragárselo. Gime y empieza a moverse sobre tu dedo, así que decides meterle un segundo dedo y presionarla adoptando el mismo ritmo que imprime la boca de Luciérnaga en tu sexo, que te devora con decidida intensidad agarrándote de las caderas.

Vuelves a cerrar los ojos y te dejas llevar por las sensaciones. En ese momento Isis se aleja de tus dedos y supones que también ha olvidado la polla de Luciérnaga, porque vuelves a notar sus labios sobre los tuyos y su lengua en tu boca.

Oyes cómo se rasga el paquete de un preservativo y de repente es la boca de Luciérnaga la que te besa, que es placenteramente más áspera y dura que la de Isis. Notas unos labios y unos dientes sobre un pezón y una suave mano sobre el otro. La punta de la polla de Luciérnaga se frota contra tu clítoris. Te arqueas y te retuerces hasta que la sientes dentro de ti.

Ahora tienes una polla dentro, una lengua en la boca y otra sobre el pecho. Varias manos se pasean por tu cuerpo acariciando cada centímetro de tu piel y Luciérnaga, o eso crees, te agarra de las nalgas mientras te penetra. Cuando su piel empieza a golpear contra la tuya, los tres comenzáis a gemir con fuerza.

Agarras a Luciérnaga por el culo para ayudarlo a llegar hasta el fondo, quieres que te llene por completo. La suave mano de Isis captura la tuya y la coloca sobre su monte. Esta vez ya sabes qué hacer y buscas la entrada de su coño deslizando primero un dedo, luego dos y luego un tercero, y empiezas a penetrarla al ritmo de la polla que te embiste con celeridad. Ella monta tu mano igual que lo hace Luciérnaga, y sin abrir los ojos te deshaces en un orgasmo que te sale de tan adentro que explota hacia fuera en oleadas de placer. Notas como el coño de Isis se contrae y se empapa mientras sus paredes se ciñen alrededor de tus dedos como una anémona.

Jadeas tratando de tomar aire. Tienes el cuerpo empapado de sudor. Luciérnaga sigue embistiéndote con agresividad hasta que se corre dando un poderoso grito. Entonces tanto Luciérnaga como Isis se dejan caer encima de ti. Estás exhausta, pero no quieres abrir los ojos porque no te apetece que la realidad se imponga en este momento. Unos dedos se pasean por encima de tu sensible piel. Dedos que podrían pertenecer a Luciérnaga o a Isis, pero no quieres saber quien es quien o qué cosa es de cada quien; todavía no. Un momento, ¿eso que hueles es humo? El polvo ha sido ardiente, pero no puede ser en sentido literal.

—¿Alguien más huele a humo? —pregunta Isis.

Se oye un clic y vuelve la luz. Parpadeas un par de veces y te das cuenta de que hay una leve bruma flotando por la habitación.

—¡Fuego! —gritan Isis y Luciérnaga al mismo tiempo poniéndose automáticamente en marcha mientras tú sigues boquiabierta en el sofá. Tu vestido ha debido aterrizar sobre alguna de las velas y, alimentado por el ejemplar de *Orgullo y Prejuicio* de Luciérnaga, las llamas están amenazando la base de la mesita. Se oye un siseo, un chisporroteo y de repente empieza a llover. Jadeas al notar el contacto de las heladas gotas de agua sobre tu cuerpo desnudo. Apagan el fuego en se-

guida, pero ahora corres peligro de pasar del ardor a la conge-
lación en cuestión de segundos.

—Será mejor que salgáis de aquí —os aconseja Luciérnaga
levantándote del sofá y llevándote en dirección a la puerta principal. Y entonces aparecen cuatro bomberos.

Hay un momento de total incomodidad cuando se dan cuenta de que su jefe está desnudo en medio de la sala. Además, lleva
una mujer desnuda en brazos y hay otra mujer, desnuda también,
que trata de sofocar las últimas ascuas con su chaqueta.

Las expresiones de los bomberos pasan de la sorpresa a la
especulación, para acabar mostrándose divertidas.

—¿Necesita que le echemos una mano, jefe? —bromea uno
de ellos.

—Ya conoce las normas, capitán —dice otro—. En la barra
sólo de uno en uno.

—Lo tengo todo controlado, chicos —contesta Luciérnaga
con sorprendente dignidad.

Los bomberos se marchan riendo y dándose palmadas en la
espalda, y pocos segundos después se apagan los aspersores.

Luciérnaga te deja en el suelo con suavidad e Isis abre la
ventana para que se acabe de ir el humo.

Te estremeces, tienes toda la piel de gallina.

—¿Crees que tendrás algún problema? —le preguntas a
Luciérnaga. Los daños no son devastadores, pero en algún momento tendrás que comprarte un vestido nuevo.

—Qué va. Aunque tendré que aguantar bromas durante
meses. —Sonríe—. Ha valido la pena. Estoy seguro de que es

una de las situaciones más excitantes que he protagonizado en mi vida.

Empiezas a tiritar y Luciérnaga va en busca de un par de chaquetas para poner una sobre los hombros de Isis y otra sobre los tuyos.

—¿Y tú? —le preguntas—. Tienes la ropa mojada. ¿Cómo entrarás en calor?

—Bueno —dice—. Puedo utilizar las duchas comunitarias. Puede que la electricidad no sea de fiar, pero el agua caliente funciona con gas.

Miras a Isis. Se encoge de hombros y esboza una pequeña sonrisa.

—Si tú te apuntas, yo me apunto —dice.

—Muy bien —les dices a tus nuevos compañeros de aventuras—. Pues a jugar.

FINAL

Agradecimientos

Queremos dar las gracias a los maravillosos agentes Oli Munson, Jennifer Custer, Hélène Ferey, y a todo el equipo de A.M. Heath. Seguimos sintiéndonos eternamente agradecidas con nuestros editores, en especial con Manpreet Grewal y su equipo de Sphere (Little, Borwn), Amanda Brown y a sus mágicos colaboradores de William Morrow (HarperCollins), y a Jeremy Boraine y sus colegas de Jonathan Ball. A todas las personas de los cinco continentes que ayudan a dar vida a estas chicas tan maravillosas, en especial a nuestras traductoras: *grazie mille, merci beaucoup* y *danke schön.*

También queremos expresar nuestro agradecimiento a Zwier Veldhoen, quien nos ha aconsejado en todo lo relacionado con Holanda, y a Clifford Hall por la visita guiada por el museo del perfume de Eze, Niza. También tenemos que darles las gracias a André y Karina Brink por la completísima visita que nos ofrecieron por el Hotel Danieli en Venecia. No se puede decir todos los días que una ha estado saltando en una de esas camas tan elegantes. Y nos sentimos especialmente agradecidas con Karina por ayudarnos a hacer una lista de lugares donde echar un polvo en la ciudad más bonita del mundo.

Y a todos los sospechosos habituales (ya sabéis quienes sois): la verdad es que no lo habríamos logrado sin vosotros. Muchísimas gracias.

Helena S. Paige es el seudónimo de tres amigas. Paige Nick, galardonada creativa publicitaria y novelista. Escribe también una columna semanal en *The Sunday Times* en la que toca todo tipo de temas. Desde la sexualidad y las citas amorosas, hasta la locura. Helen Moffett tiene múltiples intereses. Es escritora, poeta, editora, activista y profesora. Ha impartido conferencias en lugares tan distantes entre sí como Trinidad y Alaska. También escribe sobre *cricket* y es fan del flamenco. Sarah Lotz es guionista y novelista. Le gustan los nombres falsos. Escribe, con Louis Greenberg, novelas de terror urbanas con el seudónimo S. L. Grey, y novelas para jóvenes adultos con su hija Savannah, bajo el seudónimo Lily Herne.

Utilizando el nombre de Helena S. Paige, estas tres mujeres han creado la divertida y excitante serie «Elige tu propia aventura… *hot!*», en la que lectoras y lectores configuran su propia experiencia. Y en la que todo el mundo tiene garantizado un final feliz.

ECOSISTEMA DIGITAL

NUESTRO PUNTO DE ENCUENTRO

www.edicionesurano.com

2 AMABOOK
Disfruta de tu rincón de lectura
y accede a todas nuestras **novedades**
en modo compra.
www.amabook.com

3 SUSCRIBOOKS
El límite lo pones tú,
lectura sin freno,
en modo suscripción.
www.suscribooks.com

DISFRUTA DE 1 MES
DE LECTURA GRATIS

1 REDES SOCIALES:
Amplio abanico
de redes para que
participes activamente.

4 QUIERO LEER
Una App que te
permitirá leer e
**interactuar con
otros lectores.**

 iOS